PANORAMA

REVISTA PORTUGUESA DE ARTE E TURISMO

N.º 37 • IV SÉRIE • MARÇO DE 1971

REDACÇÃO E ADMINISTRAÇÃO — PALÁCIO FOZ • PRAÇA DOS RESTAURADORES • LISBOA
EDIÇÃO DA SECRETARIA DE ESTADO DA INFORMAÇÃO E TURISMO
DIRECTOR LITERÁRIO: *RAMIRO VALADÃO*
DIRECTOR GRÁFICO: *JÚLIO GIL*
CHEFE DA REDACÇÃO: *ANTÓNIO PEDRO DE SOUSA LEITE*

SUMÁRIO

Execução técnica de: Tip. da E. N. P. — Anuário Comercial de Portugal; Neogravura, Lda.; Artistas Reunidos; Litozinco

Assinatura (4 números):

Brasil e Espanha — 120$00
Portugal — 100$00

NÚMERO AVULSO: 27$50

PÓRTICO

A Secretaria de Estado da Informação e Turismo, no seguimento da antiga tradição do S. N. I., concede todos os anos prémios às mais significativas das manifestações artísticas da nossa gente.

Panorama *reproduz, na capa e no extratexto do presente número, os trabalhos de Gil Teixeira Lopes e de Mário Teixeira da Silva, distinguidos respectivamente com o Prémio Nacional de Pintura e o de Cerâmica.*

Dando-lhes assim merecido destaque, salienta, ao mesmo tempo, o magnífico esforço que aquele alto organismo do Estado desenvolve no sentido de promover uma acção cultural, apenas ignorada pelos que permanentemente menosprezam a acção alheia ou intencionalmente a pretendem desvirtuar.

Artistas da mais variada formação foram galardoados pelos méritos dos seus trabalhos e não se cuidou de saber de outra determinação para conceder o respectivo prémio que não fosse a que resultou da apreciação objectiva do valor de cada qual.

Podem os homens criar novos caminhos para a vida, mas enquanto no mundo houver razão de fé e motivo de esperança, a Beleza há-de ser considerada como motivo essencial do que mais importa defender para garantia duma espiritualidade sem a qual para sempre desapareceria a dignidade da pessoa humana, cuja defesa constitui a base da Civilização cristã em que nascemos e vivemos e nos propomos continuar tenazmente a defender.

Associando-nos aos galardões oportunamente concedidos pela Secretaria de Estado da Informação e Turismo, gostosamente felicitamos os artistas premiados e que constituem magnífica galeria entre os que, em Portugal, servem um património que tem raízes profundas e valia indiscutível.

D. RODRIGO DE CASTRO
ALCAIDE-MOR DA COVILHÃ E POETA DO «CANCIONEIRO»

I

DENTRE os edifícios de maior interesse histórico que honram a cidade da Covilhã, designada outrora pelo Rei Venturoso como «a principal entre as outras vilas do reino», conta-se, indiscutivelmente, a velha igreja gótica de S. Francisco, restos do antigo e venerável convento do mesmo nome.

Para o visitante desejoso de surpreender a misteriosa alma do Passado, oferece na verdade esta igreja amplos motivos de meditação e recolhimento.

Transposto o portal gótico da entrada, e habituados os olhos à luz suave do interior, descortinam-se, no cruzeiro, duas capelas laterais, em cujas edículas, dum manuelino incipiente, se engastam, lavrados no granito, quatro túmulos de belo efeito decorativo.

Quem são os personagens que neles repousam sob a guarda tutelar dos seus brasões, em que se recortam as arruelas dos Castros e as estrelas dos Coutinhos?

Quem são — além desses — os outros personagens da mesma estirpe que, em campas ignoradas, algures repousam também na Igreja de S. Francisco?

Rodeados de um nimbo poético, e em singular contraste com a paz do templo — que tumultuosas existências terão sido as suas, na gesta de Portugal e no convívio com os grandes deste mundo?

A resposta a estas perguntas — que interessará por certo a todo o covilhanense amante da sua terra — dá-la-emos em face das velhas crónicas e documentos, e dessa bela página de pedra que a própria História inscreveu, há mais de quatro séculos, na Igreja de S. Francisco daquela cidade.

*

Ligada à Covilhã, desde tempos muito remotos, está a grande família dos Castros, oriunda da Galiza e que passou a Portugal nas pessoas de Inês, Colo de Garça, de romântica memória, e de seus irmãos D. Fernando, apelidado «Toda a Lealdade de Espanha», e D. Álvaro, Conde de Arraiolos e primeiro Condestável de Portugal por mercê d'El-Rei D. Pedro.

A antiga vila, actualmente cidade, de Monforte de Lemos, na Galiza, doada em 1332 por Afonso XI de Castela a D. Pedro Fernandes de Castro, pai dos três personagens atrás citados, e que na sua descendência se manteria por largos séculos, constitui, na verdade, hoje ainda, um impressionante testemunho da grandeza desta família, que ali fez construir igrejas, mosteiros, palácios e hospitais, contando-se, entre os majestosos edifícios que ao seu mecenato se ficaram devendo, o Colégio Universitário de Monforte de Lemos, fundado em 1593 pelo faustoso Cardeal D. Rodrigo de Castro, parente e homónimo do D. Rodrigo alcaide-mor da Covilhã e poeta do *Cancioneiro*, que adiante evocaremos.

Pelo testamento daquele prelado — decerto o mais transcendente documento que dele nos resta —, pasma-se ante as extraordinárias riquezas que ao Colégio legou (¹) — esculturas, relicários, livros (²) e quadros, entre os quais a *Adoração dos Magos* de Hugo van der Goes, cinco tábuas de Andrea del Sarto, um *São Lourenço* e um *São Francisco*, de Greco, e um precioso crucifixo de Valerio Cioli.

À orgulhosa estirpe dos Castros igualmente pertenceu o famoso Conde de Lemos, D. Fernando de Castro, a quem Filipe II e sua mulher, a Rainha Maria Tudor, como prova de grande estima, concederam o raríssimo privilégio de importar todos os anos da Irlanda dois falcões e quatro lebréis, por carta dada em Westminster a 15 de Setembro de 1558 (³).

(¹) *José Manuel Pita Andrade, Monforte de Lemos,* Bibliófilos Gallegos, Colección Obradoiro, *Santiago, 1952.*

(²) *Apaixonado pela cetraria, o Cardeal D. Rodrigo de Castro possuía na sua sumptuosa biblioteca um manuscrito do famoso* Libro de las aves de caza *do Chanceler Pero López de Ayala, em letra do século XV, numa encadernação lavrada, com fechos metálicos. (Vide D. Armando Cotarelo Valledor,* El Cardenal Don Rodrigo de Castro y su fundación en Monforte de Lemos, *Madrid, 1945, tomo 2.º, p. 104.*

(³) *Duquesa de Berwick y de Alba, Condessa de Siruela,* Catálogo de las Colecciones expuestas en las vitrinas del Palacio de Liria, *Madrid, 1898, documento n.º 148, p. 134.*

À mesma estirpe pertenceu também aquele outro Conde de Lemos, não menos famoso, que, discordando da equiparação dos pares de França aos grandes de Espanha, respondeu altivamente a Filipe V:

«Vossa Majestade pode mandar cobrir a quem quiser; saiba, todavia, que os Condes de Lemos quem os fez grandes foi Deus e o tempo!» [4].

Não era, porém, menor a prosápia do ramo português desta família que à Covilhã se encontra ligado a partir de D. Fernando de Castro (note-se a repetição dos nomes próprios nas linhas espanhola e portuguesa), neto de D. Álvaro Pires de Castro, 1.º Conde de Arraiolos e irmão de D. Inês, como atrás dissemos.

Foi este D. Fernando senhor de Ançã, de S. Lourenço do Bairro e do Paul de Boquilobo, governador do Infante D. Henrique, seu grande amigo, e alcaide-mor da Covilhã.

Encarregado pela Rainha D. Leonor, regente na menoridade de D. Afonso V, de negociar com Lazeraque a entrega de Ceuta em troca do Infante Santo, partiu D. Fernando de Castro com uma pequena frota para aquela cidade, em Abril de 1441, acompanhado por seu filho D. Álvaro, que lhe havia de suceder na alcaidaria-mor da Covilhã.

Passado o cabo de S. Vicente, o navio em que viajavam, e que se apartara dos demais, foi atacado por corsários genoveses, morrendo o nosso biografado no violento combate que se travou.

D. Álvaro Pires de Castro veio sepultar o pai em Faro e seguiu logo para Ceuta a fim de encetar as negociações, que, todavia, não pôde levar a bom termo pela desconfiança que lhe inspirava a palavra do mouro.

Personagem de grande valimento no tempo d'El-Rei D. Afonso V, que lhe concedeu o título de Conde de Monsanto e o senhorio da mesma vila por carta de 21 de Maio de 1460, bem merece, na verdade, D. Álvaro que recordemos alguns episódios mais da sua vida, inteiramente devotada ao serviço da Pátria.

Assim, após a tragédia de Alfarrobeira, para a qual muito contribuíram as intrigas palacianas forjadas em torno do jovem monarca, propalaram certos fidalgos, para afastar D. Afonso V da rainha sua mãe, que esta cometera adultério com o Conde de Monsanto, que chegou a ser preso. Porém, o soberano prontamente reagiu contra a tenebrosa cabala e mandou soltar o seu camareiro-mor, certo, como diz Rui de Pina, «da grande lealdade do Conde e das muitas e limpas bondades da Rainha».

Alguns anos volvidos, em 1471, El-Rei D. Afonso V, todo entregue aos seus projectos africanos, resolve atacar Arzila, partindo de Lisboa com uma vistosa armada de 477 navios e um exército de 30 000 homens, entre os quais ia o Conde de Monsanto e a fina flor da nobreza de Portugal.

Investida a praça em 24 de Agosto — episódio perpetuado pelas formosas tapeçarias de Pastrana —, D. Álvaro Pires de Castro morre heròicamente no assalto à fortaleza, que logo cairia nas mãos dos portugueses.

Com sacrifício da sua própria vida, contribuiu pois o nobre alcaide-mor da Covilhã para que «o quinto Afonso» pudesse orgulhosamente acrescentar ao seu título de *Rei de Portugal e dos Algarves* a honrosa fórmula *daquém e dalém-mar em África*, que, cinco séculos volvidos, continua a traduzir uma imperecível realidade histórica.

*

Arquétipo do grande senhor quatrocentista, elegante e paçao, letrado e cavaleiro — prefigurando, em Portugal, o perfeito gentil-homem apresentado por Castiglione no seu famoso livro *Il Cortegiano* —, D. Álvaro Pires de Castro inspirou a Garcia de Reesnde a seguinte trova, que assim o retrata para a posteridade:

> *Ho grã Cõde de Mõsancto*
> *em honra, cavallaria,*
> *em saber, galantaria,*
> *vijmos privar, valer tanto,*
> *que a todos precedia.*

E, para que em tudo fosse verdadeira esta última asserção do simpático compilador do *Cancioneiro*, até no seu próprio casamento D. Álvaro a todos precedeu, ligando-se a uma das mais nobres e ricas herdeiras do País — D. Isabel da Cunha, filha de D. Afonso, senhor de Cascais, muito próximo parente da Casa Real como neto que era d'El-Rei D. Pedro e da formosíssima Inês de Castro.

Desta união deixou o Conde larga descendência, na qual se continuou o título mas que nenhuma ligação manteve com a Covilhã.

Porém, fora do matrimónio, houve o nosso D. Álvaro dois bastardos — respectivamente D. Rodrigo de Castro, também conhecido por D. Rodrigo de Monsanto, alcaide-mor da Covilhã e poeta do *Cancioneiro,* de que nos ocuparemos com mais detença, e D. Guiomar, cuja extraordinária ambição e formosura a tornariam sucessivamente favorita de Henrique IV de Castela e Duquesa de Nájera pelo seu casamento.

Da aventurosa existência desta irmã de D. Rodrigo apenas faremos uma breve evocação, justificada, todavia, pelo pitoresco dos acontecimentos.

---

(4) *A. de Armengol y de Pereyra,* Heráldica *Editorial Labor, p. 138.*

*

Um dos aspectos mais curiosos e porventura menos conhecidos da vida palaciana em Portugal no século XV, sobretudo na época de D. Afonso V, eram as extremas preocupações sumptuárias do rei e da alta nobreza, em parte explicáveis, certamente, pela directa influência da Inglaterra e da Borgonha.

Casando-se em 1455 a Princesa D. Joana, irmã d'El-Rei D. Afonso V, com o infeliz Henrique IV de Castela, não admira, pois, que a nova rainha e as suas damas — entre as quais se contava a formosíssima D. Guiomar — escandalizassem a corte castelhana com o seu luxo ostensivo e os seus extremos requintes de vestuário e de toucador.

O grave cronista Alonso de Palencia, não obstante haver permanecido largos anos em Itália, onde imperava a ostentação e a liberdade de costumes, censura àsperamente as recém-chegadas, escrevendo:

«Jovens de deslumbradora beleza, ocupavam as suas horas na licenciosidade; o tempo restante dedicavam-no ao sonho, quando não consumiam a maior parte dele a cobrir o corpo com enfeites e perfumes, e isto sem [...] o menor recato, antes descobriam o seio até para lá do umbigo; e desde os dedos dos pés [...] cuidavam de pintar-se de branco para que ao cair das suas montadas, como com frequência acontecia, brilhasse em todos os seus membros uniforme brancura» (5).

«Podemos imaginar — comenta a este respeito Gregorio Marañon no seu *Ensayo Biológico sobre Enrique IV de Castilla y su Tiempo* — a tempestade de murmurações, sobressaltos hipócritas e espaventos que provocaria numa corte tão bisonha a alegre desenvoltura desta rainha estrangeira, de apenas quinze anos, rodeada de damas semelhantes à sua senhora em graças e juventude» (6).

Mais dotada ainda em graças e juventude do que a própria rainha, era, porém, D. Guiomar de Castro, com quem o pobre Henrique IV de Castela, pouco depois do seu casamento, teve «pendência de amores», no discreto dizer do cronista Enriquez del Castillo (7).

Amores porventura não consumados dada a incapacidade do monarca, mas que valeram à favorita uma alta situação na corte, bem como alguns versos satíricos do atrevido Mingo Revulgo, que, chamando à nossa D. Guiomar «la lusitaneja», acrescenta maliciosamente que trazia o rei «al retornero», que é como quem diz: numa roda-viva.

Fosse ou não verdadeira esta aventura amorosa, o facto é que D. Henrique se esforçou por dar-lhe um ar escandaloso, procurando assim desmentir a fama de incapacidade que a seu respeito corria. E o escândalo maior se tornou ainda, quando a própria D. Joana, ofendida na sua dignidade de mulher e de rainha, esbofeteou e puxou os cabelos à favorita, que, diante de toda a corte, lhe pagou da mesma moeda, insultando-a ainda na melhor linguagem vicentina...

Cena de extraordinário pitoresco num palácio real — pelo menos aos olhos modernos — que todavia resultou ainda em benefício da expedita D. Guiomar, a quem o monarca, lisonjeado, instalou numa bela mansão, provàvelmente o Pardo, «onde ia muitas vezes vê-la e folgar com ela», como acrescenta o cronista (8), com invejável naturalidade.

Naturalidade certamente semelhante à que patentearia D. Pedro Manrique de Lara, o Forte, primeiro Duque de Nájera, por mercê dos Reis Católicos, e adiantado-mor do Reino de Leão, que, desejando folgar também com a bela Guiomar, veio a desposá-la (9) com a maior solenidade perante a mais alta nobreza do reino, como grande senhora que era e do mais ilustre sangue das Espanhas.

II

EVOCADO, em breves traços, o curioso destino de D. Guiomar, por assim dizer talhada, pela sua beleza, ambição e alto nascimento, para o papel de favorita régia, que realmente viria a desempenhar na História, ocupemo-nos agora de seu irmão D. Rodrigo, porventura o mais interessante personagem da família e o que mais intimamente se encontra ligado à cidade da Covilhã.

O mais antigo documento que dele conhecemos, datado de 1469, é o registo de uma tença anual de 1900 réis, que D. Afonso V lhe concedeu juntamente com o foro de moço-fidalgo da sua Casa (10) e que, pelo

(5) Crónica de Enrique IV *escrita em latim por Alonso de Palencia, tradução castelhana por A. Paz y Melia, I, 3, 10.*

(6) *Gregorio Marañon,* Ensayo biológico sobre Enrique IV de Castilla y su tiempo, *oitava edição, Colección Austral, p. 119.*

(7) Crónica del Rey Don Enrique el cuarto de este nombre por su capellán y cronista Diego Enriquez del Castillo, *cap. XXIII.*

(8) *Enriquez del Castillo,* obra citada, *cap. XXIII.*

(9) *Diego Gutierrez Coronel,* Historia Genealógica de la Casa de Mendoza, *Instituto Jerónimo Zurita del Consejo Superior de Investigaciones Científicas y Ayuntamiento de Cuenca, 1946, tomo I, p. 104.*

(10) *Jorge Faro,* Receitas e Despesas da Fazenda Real de 1384 a 1481 (subsídios documentais), *Lisboa 1965, p. 216.*

menos a partir de 1474, sendo já cavaleiro-fidalgo, lhe elevou para 3700 réis ([11]).

Com a sua conhecida liberalidade em relação à alta nobreza, o monarca far-lhe-ia sucessivamente mercê dos bens que haviam sido de Vasco de Góis ([12]), do senhorio de Valhelhas, Almendra e Castelo Melhor ([13]), dos dízimos das sentenças da Covilhã e Valhelhas ([14]) e, finalmente, do senhorio de Selir e sua jurisdição ([15]).

D. João II, na sua política de centralização do poder real, e muito mais parcimonioso que seu pai, não lhe fez novas mercês, limitando-se a autorizá-lo, em 1490, a construir casas para sua morada na Covilhã ([16]) — autorização esta que El-Rei D. Manuel lhe confirmaria sete anos mais tarde ([17]).

Em reconhecimento dos seus grandes serviços, o Venturoso fê-lo ainda alcaide-mor da Covilhã ([18]), concedendo-lhe o direito de eleger ali carcereiros ([19]), bem como o de apresentar tabeliães na vila de Valhelhas ([20]), de que era senhor.

*

Dentre as missões confiadas a D. Rodrigo de Castro por El-Rei D. Manuel, avulta sem dúvida a sua embaixada ao Papa Alexandre VI, Bórgia, sobre a qual nunca foi feito qualquer estudo, ofuscada, como ficou, por aquela outra embaixada que o mesmo soberano enviou

([11]) *Idem, p. 206.*
([12]) *Chancelaria de D. Afonso V, Livro 14, fls. 105.*
([13]) Idem, *Livro 7, p. 38.*
([14]) *Confirmada na Chancelaria de D. João II, Livro 1 da Beira, fl. 137 v.º*
([15]) *Livro 10 da Estremadura, fl. 191.*
([16]) *Chancelaria de D. João II, Livro 13, fl. 49 v.º*
([17]) *Livro 1 da Beira, fls. 135 e 167.*
([18]) *Chancelaria de D. Manuel, Livro 28, fl. 7.*
([19]) *Livro 3 da Beira, fl. 54 v.º*
([20]) *Chancelaria de D. Manuel, Livro 38 fl. 56 v.º*

César Bórgia, Duque de Valentinois.

ao Papa Leão X, sob a chefia de Tristão da Cunha, e que ficaria assinalada na História como uma das mais portentosas demonstrações da grandeza de Portugal.

E, todavia, a missão a que nos referimos é do maior interesse no quadro das relações de Portugal com a Santa Sé, como passaremos a demonstrar, depois de historiarmos os respectivos antecedentes, entre os quais se destaca o primeiro casamento de D. Manuel.

O Rei Venturoso havia de facto casado com a Princesa D. Isabel, filha de Fernando de Aragão e de Isabel, a Católica, de quem teve um filho, D. Miguel, nascido em Saragoça a 24 de Agosto de 1498, falecendo sua mãe, de parto, nesse mesmo dia.

O pequeno príncipe, que teria aliás curta vida, foi jurado herdeiro dos tronos de Portugal, de Aragão e Castela, vendo-se portanto seu pai, o monarca português, estreitamente ligado à política dos Reis Católicos, cujas pretensões ao Reino de Nápoles vinham de longe.

Ora, tendo poucos meses antes subido ao trono de França Luís XII, que pretendia suceder no ducado de Milão, como herdeiro dos Visconti, tinha Fernando, o Católico, de se haver agora com um perigoso inimigo que poderia muito bem vir a ameaçar a integridade do território napolitano.

Porém, o novo monarca francês, antes de reivindicar o ducado lombardo, desejava obter a anulação do seu casamento com Joana de Valois, de quem não houvera filhos, para se consorciar com Ana de Bretanha.

Essa anulação só Alexandre VI lha poderia conceder, motivo por que um assunto privado do Rei de França sùbitamente se converteu num negócio italiano.

Na verdade, o Papa, que não perdia nenhuma oportunidade de fazer política no exercício das suas funções espirituais — e que, naquele momento, se preparava para dispensar das ordens sacras seu filho César Bórgia, Cardeal de Valência, para que este pudesse casar —, viu na pretensão do Rei de França uma boa oportunidade de obter naquele país uma noiva de sangue principesco e à altura das suas ambições.

Sem perda de tempo, em 7 de Agosto de 1498, fez reunir o Sacro Colégio, que concedeu a César a renúncia ao seu estado eclesiástico, resolução esta apenas contestada pelo Cardeal Ximenes, representante da Espanha, que, servindo os interesses de Fernando e Isabel, procurava impedir assim uma futura liga entre Luís XII e a Santa Sé.

Quanto ao Rei de França, instado pelo Papa, concedeu a César Bórgia o título de Duque de Valentinois, preparando-lhe o casamento com a bela Carlota d'Albret, sobrinha do Rei de Navarra, que viria a realizar-se em 12 de Maio de 1499.

Em troca destes favores, obteve Luís XII de Alexandre VI a almejada anulação do seu casamento — prelúdio, por assim dizer, da aliança entre o Papa e o soberano francês contra Ludovico il Moro, Duque de Milão —, aliança essa que representaria também um grave perigo para o reino de Nápoles.

*

Em face dos antecedentes que apresentámos, razões tinha pois Fernando, o Católico, para se preocupar com a marcha dos acontecimentos em Itália, naquele Verão de 1498, em que se encontrava com seu genro, El-Rei D. Manuel de Portugal, no palácio da Aljafería em Saragoça.

Alarmados com a iniciativa do Bórgia, resolveram os dois monarcas peninsulares enviar duas embaixadas a Alexandre VI — uma portuguesa e outra espanhola — para, em conjunto, «*admoestarem o Papa e pedirem-lhe que quisesse pôr ordem e modo na dissolução da vida e costumes da Corte Pontifícia*», como pitorescamente refere o cronista Damião de Góis [21].

Esta insólita missão, que no fundo constituía uma audaciosa manobra política contra as pretensões francesas em Itália, foi confiada pelo Rei Venturoso a dois homens perfeitamente à altura das circunstâncias — o nosso D. Rodrigo de Castro, alcaide-mor da Covilhã, e seu cunhado D. Henrique Coutinho.

Para avaliarmos até que ponto El-Rei D. Manuel sabia escolher os seus colaboradores para certas missões especiais, e considerando os graves perigos que na turbulenta Roma dos Bórgias aguardavam de facto os representantes de Portugal, cuja intervenção junto do Papa tinha um carácter francamente agressivo, diremos que tanto D. Rodrigo como D. Henrique, além de hábeis negociadores, eram efectivamente homens de comprovada valentia pessoal.

D. Henrique Coutinho, por exemplo, sempre se revelara um personagem truculento e arrogante, cujas violências, quando jovem, o haviam inclusivamente colocado sob a alçada da justiça num processo que correra os seus trâmites em Julho de 1481.

Filho de D. Fernando Coutinho, marechal do reino e senhor da vila de Pinhel, cometera, com seu pai, as maiores prepotências sobre os habitantes das suas terras, como sucedeu certo dia em Pinhel, onde entraram com muita gente armada e acutilaram os moradores, roubando ouro, prata, vinho, azeite, pescado e roupas.

Noutra ocasião — conta Pinho Leal [22] — D. Fernando Coutinho «mandou seu filho D. Henrique e o Conde de Marialva a Manigoto, aldeia grande do termo de Pinhel, onde repetiram a proeza, saqueando e roubando quanto encontraram; e dali seguiram para Azevo, outra aldeia grande do termo, e a saquearam igualmente, levando pão, vinho, azeite, dinheiro, bois, carneiros, cabras e porcos, mandando para Castela parte do gado, e vendendo por todo o preço o restante, ficando a povoação destruída e arrasada. E ainda, por ocasião do saque, enforcaram um juiz do povo e a outro homem deram uma cutilada no rosto».

Em face deste curioso relato, fàcilmente se conclui que D. Henrique Coutinho, passadas as verduras da mocidade e convertido agora em respeitável desembargador do Paço — dignidade que acumulava com a de D. Prior de Guimarães —, era realmente o prelado e o jurista que mais convinha ao Venturoso para defender os seus interesses na Corte dos Bórgias, onde, com a maior sem-cerimónia, se recorria ao veneno e ao punhal para resolver questões pessoais ou intrincados problemas da governação...

*

Encontrando-se, como atrás dissemos, El-Rei D. Manuel em Saragoça, em Agosto de 1498, naquela mesma cidade entregou a D. Rodrigo de Castro e D. Henrique Coutinho minuciosas instruções escritas, sobre o que da sua parte deviam dizer ao Papa; alguns dias depois, tendo-se despedido dos Reis Católicos, seus sogros, partiu o monarca para Portugal, seguido pelos dois embaixadores, que o acompanharam até Aranda de Duero, e ali se separaram — o soberano, com o seu séquito, para Lisboa, D. Rodrigo e D. Henrique, a caminho de Roma.

Quanto aos objectivos da embaixada, a posição assumida pelo monarca português em relação a Alexandre VI era extremamente hábil e, na verdade, digna de um rei cujo país contribuíra, e contribuiria, mais do que nenhum outro, para a dilatação da fé.

Como príncipe católico — acentua D. Manuel nas suas instruções dadas aos embaixadores [23] — cumpre-lhe «*obedecer, servir, ajudar e defender o Vigário de Cristo e a Santa Sé apostólica da Igreja de Roma*»; por

---

[21] Chronica do Serenissimo Senhor Rei D. Emanuel *escrita por Damião de Góis, Coimbra, 1790, capítulo XXXIII, p. 66-67.*

[22] *Pinho Leal,* Portugal Antigo e Moderno, *vol. VII, p. 70 e seguintes, sub voce Pinhel.*

[23] Estruçam que el Rey dom Manuell estando em Saragoça [deu] a dom Rodrigo de Crasto e dom Amrique Coutynho que mandou por embaixadores a Roma ao Papa Alexandre, *Biblioteca da Ajuda, Corpo Diplomático, 50-V-21, n.º 5, fls. 17 a 21 v.º*

Roma no século XVI.

«Il Borgo» de Roma, na época dos Bórgias.

Folha 11 da «Estruçam que El Rey dom Manuell estando em Saragoça (deu) a Dom Rodrigo de Castro e dom Amrique Coutynho».
Manuscrito da Biblioteca da Ajuda.
(Vide nota n.º 23.)

outro lado, sendo os reis e os príncipes ordenados por Deus não apenas para cumprirem aquelas obrigações mas também para «*estorvarem e contrariarem todas as coisas que forem danosas e em prejuízo da Santa Madre Igreja*», entende o monarca que deve advertir o Papa contra certos factos verificados na Corte Pontifícia que, além de serem contrários ao serviço de Deus, gravemente prejudicam a reputação de Sua Santidade. Eram eles a dispensa de ordens sacras, solicitada por seu filho César Bórgia, Cardeal de Valência, e a alienação de importantes bens da Igreja destinados a constituir-lhe um apanágio territorial, transmissível aos seus herdeiros.

Seguidamente, salienta El-Rei D. Manuel a sua autoridade moral para admoestar o Papa em coisas que tocam à sua consciência e estado, uma vez que tanto ele como os reis de Portugal seus antecessores sempre haviam sido obedientes e leais filhos da Igreja.

Coisa tão nova como esta de dispensar clérigos de ordens sacras para que possam casar — prossegue o soberano — constitui perigoso exemplo com que se poderá de futuro atacar a Igreja latina, motivo por que deveria Sua Santidade atentar bem que a governança da Religião Cristã, que lhe compete como Sumo Pontífice, não pode ser maculada por nenhuma «*paixão ou afeição carnal*», assim como não deveria também consentir a presença de seus filhos e filhas na Corte, vivendo soltamente, e interferindo nos próprios negócios da Cúria.

A encerrar este explosivo documento, formula por último El-Rei D. Manuel uma clara ameaça a Alexandre VI: caso o Papa se não disponha a fazer «*o que deve a Deus e a si mesmo, e o que cumpre ao Cardeal [...] de maneira que cesse tão grande escândalo*», considera o soberano que cumpriu em relação a ele o seu dever de Príncipe cristão, e que só lhe resta, portanto, «*ajudar a toda a conservação e ordem do estado da Santa Madre Igreja*», pois, mais do que qualquer outro, a isso se considera obrigado.

*

Munidos destas instruções, e dispostos a transmiti-las integralmente a Alexandre Bórgia, chegaram D. Rodrigo de Castro e D. Henrique Coutinho secretamente a Roma [24], onde estiveram durante alguns dias sem dizer que eram embaixadores, e aguardando os enviados de Espanha, D. Iñigo de Córdoba, irmão do Conde de Cabra, e o Dr. Filipe Ponce, aos quais viria

(24) *Zurita,* Anales de la Corona de Aragon, Historia del Rey Don Hernando El Catholico, *Livro III, Cap. XXXIII, p. 159 e seguintes.*

juntar-se Garcilaso de la Vega, pai do famoso poeta do mesmo nome.

Como estes tardassem, porém, os embaixadores de Portugal, acompanhados do Cardeal de Alpedrinha, D. Jorge da Costa, que o Papa muito estimava, foram fazer reverência a Sua Santidade e comunicaram-lhe os fins da sua missão.

O Papa — conta Zurita — «*tratou-os muito mal e disse palavras feias e injuriosas que não sòmente tocavam as suas pessoas mas também à do Rei, com algumas ameaças que lhes fez*; *e embora se esforçassem por persuadi-lo a que remediasse as coisas que lhe suplicavam [...] não conheceram que tivesse intenção de remediar o escândalo*».

Em fins de Dezembro, D. Rodrigo de Castro e D. Henrique Coutinho, juntamente com os embaixadores espanhóis, que haviam chegado entretanto, «*foram beijar o pé ao Papa com grande acompanhamento*; *e, ao entrarem no palácio, havia às portas e pelas salas alguma gente armada*».

Não se intimidaram, porém, os enviados de Espanha e Portugal, e Garcilaso de la Vega, que no dizer de Zurita «*não sabia outro ofício senão o de cavaleiro*», logo ameaçou o Papa com um concílio de reforma que o deporia do sólio pontifício.

Em face de um ataque tão directo, o Bórgia respondeu com igual violência: à acusação de simonia contrapôs a ilegitimidade da sucessão de Fernando e Isabel ao trono de Castela; e à afirmação de que o assassínio de seu filho, o Duque de Gandia, fora um castigo de Deus, replicou que bem maior castigo atingira há pouco os soberanos de Espanha na sua própria posteridade.

No final da audiência, portugueses e castelhanos protestaram em alta grita que o não reconheciam já como chefe supremo da Igreja, proferindo um deles tais insultos que o Papa ameaçou mandá-lo lançar ao Tibre.

Hábil como era, reconheceu todavia Alexandre VI a necessidade de aplacar os embaixadores, que persistiam em proclamar-se paladinos da Santa Sé — atitude esta que mascarava os verdadeiros objectivos da embaixada; para isso, entrou no caminho das pequenas concessões, ao mesmo tempo que restituía solenemente à Igreja o Ducado de Benavente, retirando-o aos herdeiros de seu filho, o Duque de Gandia.

Não se contentaram, porém, D. Rodrigo e Garcilaso com estas medidas, exigindo, em audiência posterior, na presença de cinco cardeais, a satisfação de quanto haviam solicitado em nome dos Reis de Castela e Portugal.

Encolerizado, o Papa não consentiu que se lavrasse auto, nem instrumento algum da petição, sendo os embaixadores ameaçados de morte pelo senado de Roma, composto por partidários dos Orsini, se persistissem no seu menosprezo por Sua Santidade.

Aconselhados a abandonar a capital — informa Zurita —, «*nunca quiseram seguir aquele conselho, nem deixaram de andar, como deviam, pelas ruas da cidade, porquanto sabiam que o partido dos Colonnas — oposto ao dos Orsini — e os espanhóis que em Roma havia bastariam a resistir a toda a injúria e ofensa que se intentasse fazer-lhes*».

Em face do parcial malogro das negociações — pois o Papa em nada transigia quanto a seu filho César Bórgia —, retiraram-se os embaixadores castelhanos para a sua pátria, seguidos, poucos dias depois, por D. Rodrigo e D. Henrique, «*sem trazerem resolução mais certa no principal*», para citarmos as próprias palavras do cronista.

Informa D. Jerónimo Osório, referindo-se a esta missão diplomática [25], que o Papa Alexandre VI, algum tempo depois da partida dos embaixadores, enviou a El-Rei D. Manuel um núncio com presentes riquíssimos, entre os quais uma espada e uma gorra.

Não sabemos se o astuto Bórgia estaria, na verdade, a divertir-se e se, na época, o simbolismo seria o mesmo que hoje, porquanto, em português moderno, gorra significa... barrete.

Se assim foi, uma coisa é porém certa: jamais na história do Papado, embaixador algum havia dado provas de tão espantosa audácia e tão incrível insolência como os nossos D. Rodrigo e D. Henrique, para não falar de Garcilaso, que como pitorescamente afirma o cronista «não conhecia outro ofício senão o de cavaleiro!»

*

Nos lazeres da sua carreira militar [26] e diplomática, muitos dos quais passados nos serões da Corte de D. João II e de D. Manuel, D. Rodrigo de Castro cultivou as musas, sobretudo em «cousas de folgar y gentilezas», e assim o vemos figurar entre os 286 autores representados no *Cancioneiro Geral* de Garcia de Resende, dado à estampa em Lisboa no ano de 1516.

Colectânea que se filia em obras congéneres espanholas, sobretudo no «*Cancioneiro General*» de Hernando del Castillo, o *Cancioneiro de Resende* inclui

---

(25) *D. Jerónimo Osório*, Da Vida e Feitos de El-Rei D. Manuel, *Biblioteca Histórica, Série Régia, Livraria Civilização, Porto, p. 44.*

(26) *Em 1501 era capitão de Tânger, como diz Damião de Góis.*

composições de valor muito desigual, que vão do mais inspirado lirismo até à sátira mais obscena.

Os seus temas principais são a exaltação das glórias de Portugal, o amor e a morte — o primeiro tratado sob formas que antecipam já o neoplatonismo da Renascença — e pequenos episódios burlescos da vida cortesã.

Como poeta, D. Rodrigo de Castro não está evidentemente à altura dum Fernão da Silveira, espirituoso crítico de costumes, ou dum Duarte de Brito, o maior poeta de amor do *Cancioneiro*; porém, as suas poesias, todas elas de circunstância, apresentam uma variedade métrica, um ritmo e uma linguagem que conferem ao autor um lugar de destaque entre a multidão de figuras incluídas no *Cancioneiro*.

Bem representativa do que deixamos dito é a seguinte composição, destinada a um concurso promovido por Fernão da Silveira, que oferecia uma peça de brocado para um gibão a quem fizesse melhor trova em louvor da senhora dona Filipa de Vilhena, e que por ela própria haveria de ser julgada:

> *Pera tal grado levar*
> *nam cuydo que he saber*
> *de saber ninguem louvar*
> *hũa dama tam sem par*
> *como vos deos quis fazer*
> *E ahinda que fermosura*
> *manhas e gualantarya*
> *nam se achasse*
> *deveys estar bem segura*
> *que o mundo se rrefarya*
> *da que de vós sobejasse.*

Não regista o simpático Garcia de Resende quem foi o galante vencedor deste torneio poético; porém, se D. Rodrigo não ganhou o corte de brocado, pode muito bem ter acontecido que recebesse prémio de consolação de maior valia...

De facto, nesta graciosa composição, de agradável ritmo e musicalidade, há recursos de hábil versejador, se não mesmo de poeta inspirado — a delicadeza da linguagem, a métrica perfeita, a variedade de rimas alcançada com palavras de diferente categoria gramatical como mandam as boas regras e, por último, o súbito encurtamento do oitavo verso, que confere muito maior força à conclusão:

> *E ahynda que fermosura*
> *manhas e gualantarya*
> *nam se achasse*
> *deveys estar bem segura*
> *que o mundo se rrefarya*
> *da que de vós sobejasse.*

De extraordinária cadência e musicalidade, obtida com o hábil emprego de aliterações, inversões da ordem normal das palavras, repetição de termos, alternância de sons vocálicos e a mesma técnica do encurtamento de um ou mais versos, é o seguinte poema dirigido *«ao conde prior sendo mançebo porque acharam nũ caminho hũ seu moço desporas com hũua trouxa de vestidos aas costas»*:

> *A vinte tres dias do mes de janeiro*
> *hũa sesta feyra*
> *aquem das cabritas alem da landeira*
> *topámos troteyro.*
> *Toparam troteyro com cousa tam pouca*
> *tam pouca tam leve que quem a levava*
> *diz que tam leve coela sachava*
> *que dava tais saltos tam alto pulava*
> *mais alto que çaide baylando com touca.*
> *Senhor dom joão o vosso troteyro*
> *chegou ho barreyro e loguo embarcou*
> *a barca com ele tam leve se achou*
> *por onde o barqueiro levar lhescusou*
> *da trouxa dinheiro.*
> *Sem vela sem rremo partio derradeira*
> *e chegou primeiro*
> *porque a trouxa do vosso troteyro*
> *a fez mais veleyra.*

As mesmas características — métrica perfeita e agradável musicalidade — mantêm-se em algumas outras composições de D. Rodrigo de Castro, que, pelo arcaísmo da linguagem e indisciplina da grafia — ao tempo não fixada ainda em regras ortográficas —, oferecem certa dificuldade de interpretação, como sucede, por exemplo, no pequeno poema, em pentassílabos, dedicado a Lourenço de Faria, *«da maneyra que mandava a hũ escravo que curasse hũa sua mula»*:

> *Lourenço conprar*
> *pastel de pam alvo*
> *dizendo o escravo*
> *querer jaa chofrar.*
> *Escravo com medo*
> *senhor chofrarey*
> *Lourenço azedo*
> *assinha dom perro*
> *aspera moley.*

À parte a obscuridade da trova, que as razões apontadas explicam, temos de reconhecer, porém, que o ritmo dos seus pentassílabos nada fica a dever aos do conhecido poema de Guerra Junqueiro:

Pois eu não gostava,
parece-me a mim,
de ver o teu rosto
da cor do marfim.

Não é, evidentemente, nosso propósito apresentar aqui toda a produção poética de D. Rodrigo de Castro — o que se tornaria por certo fastidioso — mas apenas dar uma ideia dos mais salientes aspectos das suas composições, analisados — esses sim — no conjunto da sua obra.

Em tais circunstâncias resta-nos sòmente dizer, para concluir, que o nosso D. Rodrigo, em lisonjeiro contraste com muitos outros poetas do *Cancioneiro,* designadamente com seu parente e homónimo D. Rodrigo de Castro, o «Ombrinhos» de alcunha, jamais usa linguagem baixa ou palavras soezes nos seus poemas, mesmo nos mais chocarreiros, o que denota o seu refinamento aristocrático; por outro lado, jamais usa também o castelhano nas suas trovas, como sucede com trinta outros poetas da colectânea de Resende, o que indiscutìvelmente atesta o seu arreigado patriotismo.

Homem de espada e de pena, como todo o grande senhor renascentista, aliava ainda D. Rodrigo de Castro aos seus dotes literários uma natural facilidade de palavra que o tornava um dos mais galantes conversadores nos serões do Paço, merecendo a D. Francisco de Almeida, futuro Vice-Rei da Índia'o elogioso comentário de que em Portugal havia apenas dois fidalgos com quem se podia conversar: o nosso alcaide-mor da Covilhã e Diogo Fernandes de Almeida, prior do Crato.

*

De sua mulher D. Maria Coutinho, teve D. Rodrigo de Castro um filho, D. Francisco, que morreu em combate, em Tânger, e quatro filhas — D. Joana, casada com João Fernandes Cabral, irmão de Pedro Álvares, descobridor do Brasil; D. Guiomar, assim chamada em homenagem a sua tia, a formosa duquesa de Nájera, cujo papel de favorita real não causou, pelo que se vê, o menor escândalo na família; D. Isabel, mulher de D. Fernando de Castro, morto em combate em Arzila; e D. Antónia, casada com D. João Lobo, senhor de Alvito.

Fora do matrimónio, houve ainda D. Rodrigo três bastardos, um dos quais — D. Cristóvão de Castro — bispo da Guarda e notável figura de eclesiástico que na Covilhã residiu largos anos e onde, ao que parece, andava construindo casas episcopais à data da sua morte, em 1552.

Covilhã: casa de D. Rodrigo de Castro, cuja construção foi autorizada em 1490 por El-Rei D. João II e confirmada por El-Rei D. Manuel em 1497. Demolida em 1947, construiu-se, em seu lugar, o actual cinema.

Foi este prelado deão da capela real e capelão-mor da Infanta D. Maria, que lhe dedicava a mais profunda estima.

Provido por El-Rei D. João III nas igrejas do Padroado Real de S. Vicente da Covilhã e do Souto da Casa, propôs o mesmo soberano ao Papa Júlio III a sua nomeação para o bispado da Guarda, que o Pontífice confirmou em 5 de Agosto de 1550.

Sagrando-se bispo logo no mesmo ano, entrou D. Cristóvão na posse da sua diocese, que visitou quase toda no pouco tempo em que a regeu, e durante o qual, com a magnificência própria da sua família, enriqueceu a Sé da Guarda com o notabilíssimo retábulo da capela-mor, feito em pedra de Ançã, e contendo cerca de cem figuras em alto-relevo, de arrojada composição decorativa (27).

*

Anteriormente dissemos já que D. Rodrigo de Castro na Covilhã construiu a sua casa, com licença d'El--Rei D. João II, confirmada pelo Venturoso em 1497. Casa manuelina, de pequenas dimensões mas de grande carácter, toda ela de granito aparelhado, constituía na verdade a mais íntima evocação dum alto personagem que honrou a Covilhã e que nesta cidade — então vila — viria a falecer no ano de 1520.

Infelizmente, porém, esta pequena jóia da arquitectura civil do século xv foi demolida em 1947 para, em seu lugar, se construir o actual cinema, dela restando apenas, ao que parece, uma janela manuelina, arrolada como monumento nacional, e que a cidade da Covilhã poderia talvez de algum modo valorizar.

Desaparecida a casa de D. Rodrigo, possui a Covilhã, todavia ainda, um notável monumento — esse de arquitectura religiosa — piedosamente erigido por suas filhas D. Joana e D. Isabel de Castro.

Referimo-nos às formosas capelas do cruzeiro da Igreja de S. Francisco, artìsticamente lavradas no moreno granito da Beira, e das quais partimos, logo no início do presente trabalho, para a longa e sentida evocação histórica que estamos apresentando.

Nos dois túmulos do lado do Evangelho, sob a guarda de um escudo com armas de Coutinhos e de Castros, repousam a própria D. Joana e seu marido, João Fernandes Cabral, alcaide-mor de Belmonte, e irmão do descobridor do Brasil; na capela do lado da Epístola, construída por D. Isabel, jazem seu marido D. Fernando de Castro, morto em combate em Arzila, e seu filho D. Diogo, que sucedeu ao avô, D. Rodrigo de Monsanto, na alcaidaria-mor da Covilhã.

Em sepulturas rasas, cuja localização se desconhece, repousam também na Igreja de S. Francisco o próprio D. Rodrigo de Castro, sua filha D. Isabel e seu filho D. Cristóvão, bispo da Guarda, na Covilhã falecido no ano de 1552.

*

Desejando associar a revista *Panorama* às comemorações do 1.º Centenário da elevação da Covilhã a cidade, escolhemos para tema do presente artigo a grande família dos Castros, ligada não apenas à história da Covilhã mas também à História de Portugal, de Espanha e da própria Itália.

Família de grandes senhores que, em troca dos privilégios que na sociedade antiga lhes cabiam, generosamente deram a sua vida na gesta de Portugal: D. Fernando, morto ao largo do cabo de S. Vicente, em luta com os piratas genoveses; D. Álvaro, ferido de morte diante das muralhas de Arzila; D. Francisco, filho do nosso D. Rodrigo de Monsanto, morto às mãos dos mouros em Tânger, e, finalmente, D. Fernando de Castro, primo e marido de D. Isabel, que em Arzila tombou também.

Ligados à Covilhã por laços espirituais e materiais, na Covilhã quiseram alguns deles dormir o seu último sono, numa derradeira prova de amor à sua vila — vila que é hoje florescente cidade voltada para o futuro, mas cujo passado pode com justiça ufanar-se destas gradas figuras que, na sua época, o futuro souberam construir também!

---

(27) *João Osório da Gama e Castro*, Diocese e Distrito da Guarda, *Porto, 1902, pp. 435-36 e 372.*

Covilhã. Igreja de S. Francisco: Túmulo manuelino de D. Joana de Castro (filha de D. Rodrigo de Castro), casada com João Fernandes Cabral.

Covilhã. Igreja de S. Francisco: Túmulo manuelino de João Fernandes Cabral, alcaide--mor de Belmonte, falecido em 1508.

JOSÉ ENES

PARAÍSO PERDIDO

Declina o sol na tarde azul.
De leste as nuvens reverberam
anúncios ténues do arco-íris.
    Nem uma folha bule
nos plátanos que adormeceram
sonhando a hora de tu vires.

E neste morrer de dia estivo,
em que cristais de ternura brilham
sob as águas tranquilas do mar,
    só percebo que vivo
nos passos pressentidos que trilham
o desejo de te ver entrar.

Enquanto as uvas abrem às abelhas
o néctar vespertino e em seus bagos
a noite cristaliza a minha dor,
    vem pousar-te nas telhas
do meu casebre, alvéola dos afagos
saltitantes. Não temas o condor.

Tudo adormeceu nesta hora divina.
Só o coração vigia o teu assomo
da velha parede onde o musgo cresceu.
    Vem, ó columbina!
Traze-me a sucosa carnagem do pomo
que o Anjo, ao fechar o Éden, esqueceu.

Ilustração de MARTINS DA COSTA

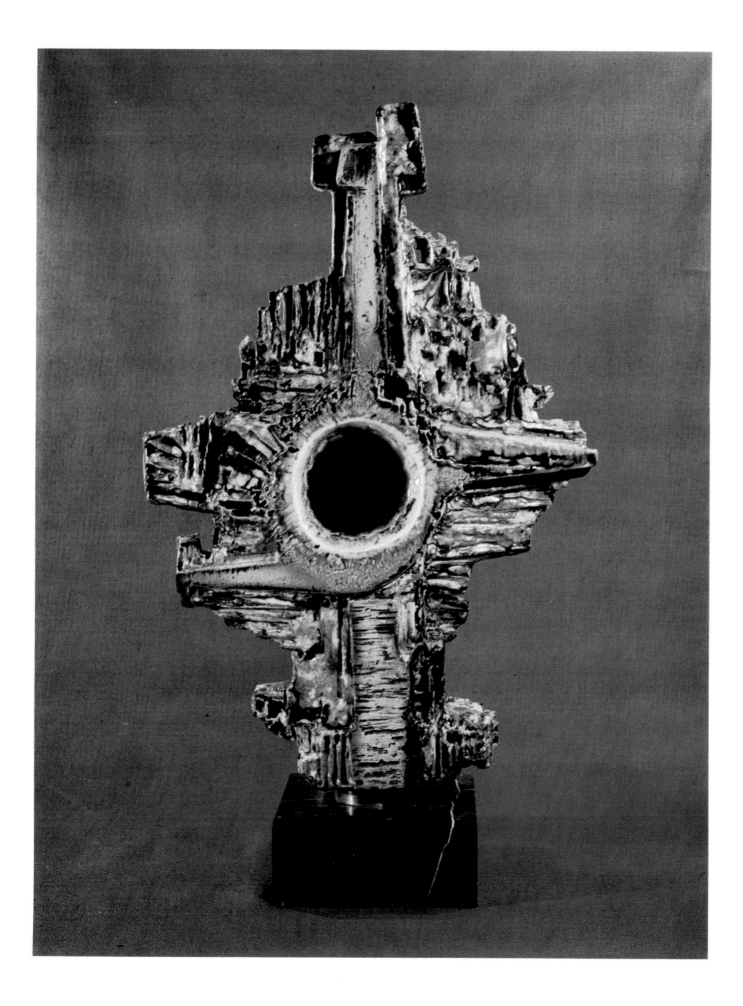

CERÂMICA de MÁRIO FERREIRA DA SILVA

PREMIO NACIONAL DE CERÂMICA, 1969.
Atribuído no IV Salão Nacional de Arte
organizado pela Secretaria de Estado da
Informação e Turismo.

UM CASO LITERÁRIO: «SE BEM ME LEMBRO...», DE VITORINO NEMÉSIO

DESTA vez «Um Caso Literário» não folheia cortêsmente um livro. Roda um botão e incendeia um *écran*. Na pequena tela radiosa, desassombrada da policialesca seriação estrangeira, Vitorino Nemésio palestra, ensina e cativa.

É o «caso literário» mais notável da televisão, desde que os nossos serões abriram esta janelinha iconográfica e sonorosa sobre o mundo vasto e vil. Pela esplêndida «edição» nemesiana merece a televisão um parabém. Aqui o exaro, sincero e conciso. O valor não precisa de verbo.

O que «bem se lembra» é — todo o mundo sabe — uma notável figura. Professor, erudito, escritor. Filólogo, conferencista, ficcionista. Em *Mau Tempo no Canal,* um dos superiores romancistas do século; com *O Bicho Harmonioso,* um dos poetas mais originais da contemporaneidade; n'*O Mistério do Paço do Milhafre,* contista de desempenada fabulação e entendida narração. Crítico apetrechado como poucos nesta terra pirrónica, amando as obras e sabendo das obras; historiógrafo que embrenha na espessura da história, levando na bolsa a desprevenção instruída e na mira o probante do facto. Há ainda o prosador, o estilista. A esse dou eu um relevo luminoso.

O nosso findante século xx, ferreteado de mediano se não de medíocre, enriqueceu a Literatura Portuguesa com alguns poetas de génio e três prosadores de tomo: Aquilino Ribeiro, Tomaz de Figueiredo e Vitorino Nemésio. Outros narrarão com vivacidade histórias pontilhadas de vocábulos castiços. Prosadores-criadores, eles... Eles porque conhecem a Língua, eles porque inventam Língua. (Acrescentava Agustina Bessa-Luís, se pudesse; e só não posso porque ainda não passei as veredas ricamente tufadas de seus livros com a humildade paciente de quem longamente bateu as coutadas de Aquilino, Tomaz e Vitorino.)

Aquilino Ribeiro, o grande imperante da imaginação verbal, dedilha toda a corda venerável do idioma, desde o antigo Fernão Lopes ao remoçador Eça de Queirós; Tomaz de Figueiredo ensaia o coleio sintáctico até o imprevisível e o belo, sacola atochada de severidades de purista e de audácias semânticas: fidalgo no culto da verdade da Pátria e da Língua. Ambos, porém, *arcaízam*. Aquele *Romance de Camilo*, por exemplo, bafeja excesso de humidade monástica; como o *D. Tanas de Barbatanas*, com o intuito firmado no português de Seiscentos — como se desde então a língua não tivesse corrido pernadas correctas.

Vitorino Nemésio, sondando como Aquilino e Figueiredo o poço da língua até o fundo-fundo, não arcaíza. E embora fisgue peixinhos curiais no pego fervilhante de modismos de Vieira, de Camilo e do Povo, seu contorno de frase é perfeitamente moderno. Pelo vocábulo congruente sente respeito de linguista, sem que ele o empeça na liberdade de criador. Neste caso — rasura; experimenta audácias; e, destas, muitas lhe assomam do léxico moderno, a cuja borbulhação e viveza se mostra tão atento como ao glossário petrificado... que ele consegue descongelar. Não são ambos nativos da feraz leira portuguesa, logo vernáculos?

Quantas utilizações argutíssimas do moderno!... Não as poderia inventariar nestas colunas amigas, mas forçadamente breves. Tomo, ao acaso, uma frase. Uma eléctrica corrente inventiva sulca o português herdado e reverenciado: se até de surrealismo se nutre Nemésio, virtuoso de todo o «andante» do idioma. Sem servilismo a nenhum príncipe, seja ele Camilo: uma personalidade a mudar-se em *estilo:* tanto a amenizar crónica como a desenvolver romance. Face à boca do microfone ou dentro do *écran* do televisor.

Ele próprio, Nemésio, é *tele-vivo.* Dos três notáveis da prosa contemporânea o mais espontâneo, dom de comunicabilidade igual a força de expressividade. Lecciona sem esmagar com o cartapácio didacta; exemplo de cátedra humana, larga a prover todos. Escritor--filólogo que não derrota com a filologia; mestre de linguística dextro a matizar a prelecção especializada, dela fazendo cavaqueira agradabilíssima.

Isto explica que, na folha do livro como no painel do aparelho, Nemésio seja *alguém.* Alguém que ministra singelamente erudição; alguém que prodigaliza, desprendida e dignamente, uma *superioridade.* Um caso humano, português, universitário, literário, televisivo, este Nemésio — grande professor e grande prosador.

«Se Bem Me Lembro...» é também um *caso linguístico.* Ao locutor reclama-se presença simpática e articulação asseada; mas apenas a toda-poderosa Utopia se mataria a estatuir que o locutor fosse um linguista. Eu sei que o crítico de televisão *sabe* tudo, tudo abrange, prolegómenos de Kant ou receituário da cozinha; que abarca excelsamente a vasta estética e a copiosa ciência; que traz tudo excogitado, desde a pediatria à cibernética, desde o arrulhinho insignificante da Vartan às sonoridades rescendentes da «Pastoral». Todavia as azagaias que as tabancas críticas despedem aos que falam ilegalmente a «portuguesa língua» podiam *reciprocar-se* — como diz Camões n'*Os Lusíadas* — e castigar na polpa pretensiosa quem banalìssimamente escreve português façanhudo.

Vitorino Nemésio chega na hora própria e próvida. O televisor discreteia, enfim, em português puríssimo, sapidíssimo e polidíssimo. À palavra genuína e colorida, Nemésio solta-a de jorro, clara; ou, tenteando com segurança a memória filológica, a depara e a sorri. Tanta certeza parecia natural em escritor que castigasse a lauda, para que ela escandisse número e reluzisse estesia; mas que as palavras se formem assim rigorosas e as frases se ordenem assim impecáveis da boca que palestra — é muitíssimo mais raro e assinalável.

Em Nemésio, todavia, não espanta. Ele possui — como nenhum outro autor vivo — a virtualidade dos talentos variados; se nos rompesse em género ainda não experimentado, só um berbere mugiria surpresa. O português que lhe nasce na boca é cultíssimo; tal o que ele perpetua nos livros — e notáveis são, como vimos, *Mau Tempo no Canal, Paço do Milhafre* e as belas crónicas que guardam o avulso da inspiração no volume coeso. A sua obra escrita, como a sua palestra radiofónica ou a sua charla televisada, modalidades superiores de *cultismo.* Cultismo aqui depurado da acepção seiscentista, muito elaborada e amaneirada; em significação contemporânea — sendo o homem desta desvairada luzência tecnológica, como o renascente, latíssimo em humanidades e fundíssimo em ciências. Nemésio, melindroso interiorista e incansável viandante, lavrante do horto íntimo e nómada do mundo! Nativo de um minúsculo ilhéu atlântico, tão grande escritor e professor, porque na extensão de tudo ou na fundura do todo é um homem universal; e na isenção e moderação com que discorre sobre cósmicas matérias, desde a Cristologia à Vulcanologia, tolerante como Erasmo, sapiente como Clenardo e purista como Bernardes.

Grande romancista, grande prosador, grande poeta... Outros se conhecem elevados em prosificação, romance e versificação. Porém Nemésio é na charla o melhor e na Televisão o maior. Sem esforço, ele que é todo estilo, impôs um estilo. No *vídeo* — horrenda denominação — onde o caso literário, e mesmo o caso televisivo, não abundavam mais que as rosas na jarra inverneira, sabe simplicissimamente dobrar a expressividade do Verbo com a impressividade da Imagem. Em volume as suas crónicas radiofónicas são de saborosíssima e proveitosíssima leitura; estas, emigradas da messe rica da linguagem-imagem — perdiam com certeza luz. Nemésio, no *écran;* comunicação franca, amiga, clara, salutar. «Se Bem Me Lembro» é, efectivamente, um caso de Televisão invulgar; também Nemésio é um caso literário magnífico — escritor dotadíssimo, professor humaníssimo, intelectual exemplar. E tão formosa trindade é rara nesta época de contestados e de contestantes, sem magistério e sem construção!

UM PRÍNCIPE CINGALÊS EM COIMBRA

«Ceilão é rica, ilustre e bela», assim escreve Luís de Camões, o imortal poeta português, que cantou também a beleza do rio Mondego, em Portugal. E aqui, na Lusa Atenas, no outro lado desse mesmo rio, perto da ponte, no Mosteiro de S. Francisco, jaz sepultado um velho príncipe cingalês.

Camões morreu. O mosteiro foi destruído, ironicamente destruído pelas águas do rio, pelas mesmas águas que eram objecto da admiração poética de Luís Vaz de Camões.

Quando vim para Coimbra imaginava que era o primeiro cingalês a pisar a terra desta nobre cidade universitária. Porém, a história mostra que eu estava enganado, e foi por isso que comecei a minha busca: a procura do túmulo do meu conterrâneo — um príncipe dos antigos tempos em que Ceilão era uma monarquia.

As notícias do meu predecessor de Ceilão fizeram crescer em mim uma grande curiosidade de descobrir o local da sua última morada, do local onde dorme o sono eterno. Perguntei a alguns amigos onde ficava o velho Mosteiro de S. Francisco. Com algumas informações que fui conseguindo, as investigações processaram-se lentamente. Na minha primeira jornada fui ter ao Penedo da Saudade. Nada encontrei. Porém, nem por isso desanimava.

Assim, prosseguindo infatigàvelmente, iniciei segunda tentativa, que terminou no cemitério da Conchada. Mas ainda desta vez nada encontrei que me desse uma ideia do local onde o príncipe cingalês estaria sepultado.

Consultei o Prof. Doutor P.ᵉ Avelino de Jesus da Costa, da Faculdade de Letras de Coimbra. Juntos procurámos na *História Seráfica Cronológica da Ordem de S. Francisco na Província de Portugal* (¹). Então encontrámos uma referência ao Mosteiro de S. Francisco. Este, como se dizia, tinha sido destruído pelas inundações, no século XVI. Escreveu Soledade: «Mudouse para jũto da ponte q̃ atravessa o Mondego no anno

sobre dito de 1247 sendo empenhado na fundação do novo o Infante Dom Pedro; mas este solar illustre não lhe servio de immunidade contra os destroços do tempo, & inundações do Rio, o qual o fez andar contínuas mudarças» (²).

Mas eu queria, apesar de tudo, ir a esse lugar. Acima de tudo, a terra fica, se bem que o tempo continue.

O meu inquérito, por infatigável, dava já origem a uma série de gracejos, especialmente por parte dos meus amigos, na sala de jantar do meu anfitrião.

— Então, senhor doutor, já desvendou o mistério? Afinal onde fica o tal mosteiro? — perguntava o Sr. R., engenheiro. Mas o Sr. Joaquim, o dono da casa, mostrou grande interesse pelo assunto.

De súbito, tudo mudou. Surgiu finalmente uma luz no meu caminho. Tinha ido jantar a Leiria com alguns dos professores de Coimbra. Foi então que o Prof. Doutor Salvador Dias Arnaut me mostrou um bocado de barro e começou uma longa narrativa acerca da sua história, retrocedendo até ao passado dos reis de Portugal. Acreditem-me, aqui está um homem muito interessado pelo seu trabalho — estudos históricos e antropológicos dos monumentos e objectos de arte antigos de Portugal e Ultramar. Fiquei absolutamente fascinado com suas dissertações.

Resolvi depois fazer-lhe a pergunta que há muito tempo constituía uma obsessão para mim.

Era sexta-feira. Procurei directamente o Prof. Arnaut no seu gabinete. Ele foi extremamente simpático. Perguntei-lhe então onde era o sítio exacto do velho Mosteiro de S. Francisco. Dei-lhe pormenores. Ponderou por algum tempo. Levou a mão ao bolso, tirou uma nota de cinquenta escudos.

Ali, na face da nota, estava o desenho da velha cidade de Coimbra, dantes chamada Conímbriga, com o Mosteiro de S.ᵗᵃ Clara de um lado da ponte e o Mosteiro de S. Francisco do lado oposto.

19

Agora o meu interesse era mais vivo. Queria que me desse mais informações. Pediu que me encontrasse com ele no dia seguinte e forneceu-me todas as indicações e os nomes dos livros de referência.

Fui à sala de manuscritos da Biblioteca Geral de Coimbra. A senhora que ali trabalha apressou-se, muito amável, a mostrar-me o livro *Estampas Coimbrãs — IX Centenário da Reconquista Cristã de Coimbra* (³). Na estampa I figura o mesmo desenho que podemos encontrar reproduzido na nota de cinquenta escudos. O mosteiro lá estava!

Agora faltava saber onde era o seu local exacto. Atravessada a ponte para Santa Clara, chego ao sítio onde hoje há areia e dantes havia água. Quando se dá a primeira curva para a esquerda, ei-lo, mesmo em frente.

O meu predecessor — o príncipe do velho reino de Ceilão — devia ter passado as férias nadando no Mondego ou suportando o frio cortante do Inverno, perto da Universidade. Talvez tivesse ido ao Choupal, onde porventura encontrou os ciganos que por lá passam às vezes, e tivesse estudado a sua língua, mesmo antes de Coelho. Talvez ele tivesse passado inúmeras vezes pela ponte, donde poderia admirar a beleza de Coimbra, com as suas casas de pedra escura em cima de graníticos montes. Para mim é como uma visão poética da montanha Kailasa, que podemos encontrar na mitologia dos Hindus da Índia, e também em Ceilão. Acerca do local onde se encontra sepultado este meu longínquo compatriota — cuja presença em Coimbra tanto interesse me havia despertado — diz Frei Fernando da Soledade:

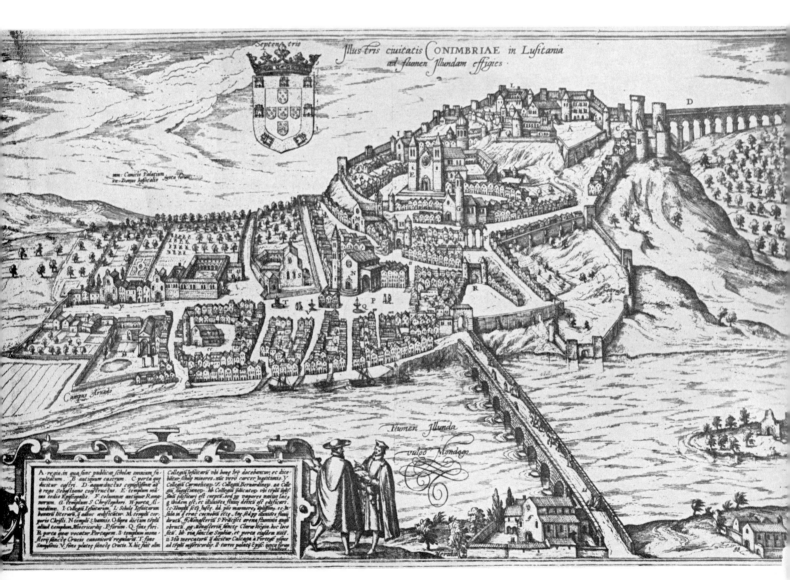

«D. Filipe Príncipe do Reyno de Ceytavaca na Ilha de Ceylão, a quem os nossos Religiosos deram o sagrado Baptismo...» (4), «está sepultado no *novo* Convento de S. Francisco, que foi construído em 1609, no mesmo sítio». Fernão Queirós, na sua obra *Conquista Temporal e Espiritual de Ceilão* (catálogo dos manuscritos do Instituto Histórico e Geográfico Brasileiro, Rio de Janeiro, 1884), menciona este príncipe pelo nome «Nicapety Pandar». Infelizmente a sua grafia está errada, porque o termo *Pandar* significa macaco, e realmente o seu nome foi Nikapitiye Bandara, em que a palavra *Bandara* significa «o chefe». D. Filipe foi o seu nome depois do baptismo. Este príncipe esteve a estudar no Colégio de S. Pedro, que, de acordo com Virgílio Correia e Nogueira Gonçalves, ficava situado (5) «à esquerda da Porta Férrea do Paço das Escolas». Este colégio foi extinto em 1834.

Não era D. Filipe o único príncipe de Ceilão em Portugal, naquela altura. Seu irmão, D. João, estudou em Lisboa e morreu em Telheiras. Um primo deste D. João Perea Bandara, depois de vir a Portugal, voltou para a Índia. Durante o reinado de Bhuvanekabahu (século XVI) estiveram em Lisboa embaixadores cingaleses.

Para um estudioso das relações culturais de Portugal com o Ceilão todos estes factos são do maior interesse, pois testemunham a existência de laços entre os dois países, que, estreitados pela acção dos missionários católicos, dos padres da Companhia de Jesus e dos religiosos da Ordem de S. Francisco, explicam as extraordinárias semelhanças que se verificam entre certos aspectos da arte e da língua de Portugal e do Ceilão.

A essas relações culturais se refere Francisco Rodrigues no seu trabalho intitulado *A Companhia de Jesus, em Portugal e nas Missões* (1935), escrevendo: «Em 1542 aportava à Índia F. Xavier» e «os padres compuseram obras didácticas, científicas e literárias no Oriente; em sânscrito, tâmul, concani, canarês, cingalês...» Por seu turno, o P.e Sebastião Rodolfo Dalgado, na sua obra *Dialecto Indo-Português de Ceylão* (contribuições da Sociedade de Geografia de Lisboa, 1900), anota os termos portugueses que passaram para a língua cingalesa — a língua falada em Ceilão.

De facto, muitos termos da nossa língua popular, especialmente nas regiões do sul e noroeste da ilha, apresentam três aspectos bem significativos: termos de origem portuguesa; termos estranhos, como os usados pelos comerciantes, numa espécie de dialecto marítimo, muito provàvelmente introduzido pelos portugueses; e, por último, termos acingalesados.

Tal como em Portugal, empregamos os anomásticos Pereira, Fonseca, Fernando, Silva, Paiva, Peiris (Peres), José, João, Miguel, etc. Há também muitos vocábulos idênticos para o vestuário, como por exemplo *camisa, calisam* (calção), *bottam* (botão), *mes* (meias), *lensu* (lenço), *sapatu* (sapato), etc. Em comidas, *salada, vinakiri* (vinagre), *viskotu* (biscoito), *keju* (queijo), etc. E, ainda como em português, temos *mesa, koppa,* (copo), *piris* (pires), *garappou* (garfo), etc.

Um dia fui ao Museu Popular, em Belém, e ali encontrei certos instrumentos musicais, como, por exemplo, os *pandeiros*, idênticos aos que se usam nas danças «Kandyan» do Ceilão, e com a mesma designação.

Tal como em Portugal, existe também no Ceilão a palavra *burro,* possìvelmente introduzida pelos portugueses, e o povo joga o *burro,* utilizando quase os mesmos termos, como *asi* (ás), *eskoppa* (copa), etc. Para terminar, registarei a curiosa expressão «Hatara *gaten* Yanava», que significa «andar de gatas» e que, tal como na frase portuguesa «tanto bebeu que andava de gatas», igualmente se aplica, no Ceilão, aos apreciadores do bom vinho, a quem por vezes acontece idêntico percalço...

Afastei-me talvez um pouco do tema inicial do presente artigo; todavia, no decorrer das minhas investigações acerca do príncipe cingalês D. Filipe, depararam-se-me alguns elementos curiosos que, por testemunharem interessantes influências da cultura portuguesa sobre a cultura do meu país, não quis deixar de referir nas páginas de uma revista à Cultura Portuguesa consagrada.

---

(1) Fr. Fernando da Soledade, *História Seráfica Cronológica da Ordem de S. Francisco na Província de Portugal.* Tomo III. Lisboa, MDCCV.

(2) Armando Carneiro da Silva, *Ibid.* — Proemio, p. 8,

(3) *IX Centenário da Reconquista Cristã de Coimbra.* Estampas coimbrãs. Vol. I. Por Ordem da Câmara, pp. 14-15.

(4) *Ibid.,* n.º 2, pp. 8-9.

(5) Virgílio Correia e Nogueira Gonçalves — Academia Nacional de Belas-Artes, *Inventário Artístico de Portugal, Cidade de Coimbra.* II, Lisboa, 1947, p. 113.

PORTUGAL ENTRE OS PIONEIROS DOS MOVIMENTOS HUMANITÁRIOS EUROPEUS

SE a mobilização de esforços, oficiais e particulares, para a concretização de obras de assistência é facto por demais antigo e conhecido, já o mesmo não poderá dizer-se a propósito dos movimentos humanitários portugueses, característicos de épocas muito mais recentes. Contudo, nem por isso Portugal deixou de estar presente na primeira hora e na primeira fila, pois neste aspecto, e há precisamente um século, o País acertou o passo com o resto da Europa e do mundo civilizado. Pareceu-me, assim, a todos os títulos importante e urgente trazer ao conhecimento público o despertar da Nação para os grandes movimentos humanitários internacionais.

Por outro lado, para quem conhecer a história da assistência e dos movimentos filantrópicos em Portugal não será novidade afirmar-se que os problemas de bem-estar físico e moral desde cedo preocuparam os meios oficiais e particulares, chamando tanto a atenção dos ricos como a dos pobres. Ora tal afirmação sai amplamente valorizada e documentada com a matéria do presente trabalho. Sob este prisma o assunto tratado é exemplar. Mas caso o não fosse atestavam-no-lo inúmeros outros eventos não menos importantes do passado: as dezenas de albergarias espalhadas pelos caminhos do Portugal medievo; os hospitais das confrarias e das corporações nos séculos XIII e XIV; a obra dos hospitais reais do século XV e a difusão das Misericórdias, desde o século XVI, pelo Continente, Ilhas e Ultramar; a obra de protecção e valorização dos índios do Brasil realizada por Nóbrega e Vieira; a declaração de Pombal afirmando livres os índios do Brasil, abolindo o tráfico de escravos na metrópole e considerando «libertos e forros» os que se encontrassem no reino; a fundação da Casa Pia de Lisboa por Pina Manique, no reinado de D. Maria I, e a sua instituição noutras cidades do País; a obra assistencial do Liberalismo feita através da fundação de hospitais gerais, especiais e sobretudo de asilos, como os que começaram a ser criados por D. Pedro IV (asilos de infância desvalida)

e que tão ràpidamente se espalharam pela província graças à protecção de D. Maria II; a fundação de muitas outras instituições de assistência nos reinados de D. Pedro V e de D. Luís; a participação de Portugal no Congresso de Viena no começo do século XIX; a proposta de 1838, da autoria de Sá da Bandeira, arauto do africanismo e da política antiesclavagista, a qual visava a inteira abolição do tráfico de escravos nos domínios portugueses; a declaração de 1858 pela qual se considerava livres todos os escravos existentes no território português passados que fossem 20 anos, data limite que foi abreviada para 1869 por ordem de D. Luís; a abolição da pena de morte para crimes políticos por meio do I Acto Adicional à Carta Constitucional, em 1852, e da pena de morte para crimes civis pela Reforma Penal de 1867.

Este enunciado de algumas das principais realizações assistenciais ou humanitárias do passado não me obriga necessàriamente a traçar quaisquer linhas de força do todo evolutivo em que se inserem, nem muito menos a fazer obra geral, o que seria impossível, por razões óbvias de vastidão, tempo e complexidade. Sendo assim, o referido enunciado adquire uma dupla função: servir de traço de união entre o presente trabalho, monográfico, e qualquer obra de conjunto que sobre esta matéria se venha a escrever; mostrar a larga representação do século XIX na história da assistência e dos movimentos humanitários, com particular evidência para o facto de caberem ao reinado de D. Luís, dum modo definitivo, duas das iniciativas de maior alcance filantrópico — a abolição da pena de morte para os crimes civis e a da escravatura em todo o espaço português. Só assim poderei acrescentar não ser estranho que num ambiente tão propício ao humanitarismo se desenvolvesse, durante o mesmo reinado, a participação portuguesa nos movimentos fiilantrópicos internacionais. É o conteúdo dessa participação, numa época fértil em estímulos e transformações, como foi o século XIX, que a seguir tentarei analisar.

I — De 1860 à «Belle Époque» — Uma década de guerras.

DURANTE a década de 1960-1870 o mundo começava a sofrer os efeitos de pequenos mas desastrosos conflitos que chamariam a atenção para as desgraças resultantes de uma futura grande guerra entre Impérios possuidores de instrumentos bélicos cada vez mais poderosos.

No continente europeu desenrolavam-se então as sangrentas campanhas italianas de Palestro, Solferino e Magenta (1859), Castelfidardo (1860), Custozza (1866), Mentano (1867), e na América do Norte, as da terrível guerra civil (1861-65), de que ficaram célebres os tristes nomes de Gettysburg (1861), com 50 190 mortos, Antietans (1862), com 31 000 mortos, Bull-Rum e Perrysville. Depois, o espectro da guerra regressou à Europa, em 1863, com a rápida campanha dos condados dinamarqueses (Holstein) — Áustria e Prússia contra a Dinamarca — e com a Guerra Austro-Prussiana, de que Sadowa (1866), com mais de 50 000 mortos e 20 000 feridos, seria considerada a «batalha tipo» das futuras grandes conflagrações. Nesta década e antes da precursora «Grande Guerra» de 1870, o mundo ainda ouviria falar dos combates de Esters Bellaco (1866), Avahi (1868), Banecio (1869), Yataby, da guerra do Paraguai (terminada em 1870) e das campanhas do México que terminaram com o fuzilamento do Imperador Maximiliano em 1867.

O que sobretudo impressionava nestes dez anos de destruição era o aparato militar das grandes nações que não cessavam de enriquecer os seus arsenais com as armas mais recentes e eficazes e de ministrar aos seus soldados a melhor estratégia de combate. Assim, durante a guerra da Crimeia, de que ficaram célebres os combates de Alma, Inkerman, Balaclava e Sbastopol (1854), apareceram as novas espingardas de agulha e de repetição, as metralhadoras, os canhões de maior alcance, calibre e perfuração, bem como novas tácticas militares.

Mas este aperfeiçoamento bélico não aparece desgarrado. A ele se ligam factores de ordem económica e política, pois que, a partir da década de 1850-60, se vinha assistindo a um cada vez maior e mais declarado empenho político-económico dos grandes impérios industriais nas recentes formações nacionais, nos pequenos mas estratégicos espaços intermédios ou em zonas de acentuada instabilidade política. E este empenho, traduzindo-se, em grande parte, pelo forte auxílio financeiro, logístico e militar, concorreu para a transformação de campos de batalha de pequenas guerras em grandes e mortíferas experiências de combate.

Nas vésperas de 1870 atingir-se-ia um grau de compromisso político-económico-militar de tal modo elevado que tudo parecia querer explodir em simultâneo. As zonas de influência francesa e prussiana aumentavam constantemente de poderio. A todo o momento, e por qualquer motivo fútil, se sentia ir rebentar uma guerra generalizada. Na verdade, a guerra que se afigurava como a única maneira de conseguir a paz, acabou, inevitàvelmente, por eclodir. Porém, ou por medo ou por bom senso, não se generalizou. Isto não quer dizer que não tivesse enormes repercussões, pois, como quase sempre acontece, muita coisa se ficou a conhecer, muitas ideias se ajustaram, formando-se a partir de então as bases do pensamento e da acção das futuras gerações. O conflito de 1870-71 marcava, portanto, o fim duma época mas inaugurava uma outra.

Os combates finalmente acabaram, contudo, a gravidade dos problemas por eles levantados foi sensível a uma Europa que, cansada de conflitos, poria de lado, pelo menos por algum tempo, os grandes voos imperialistas dentro do seu espaço. A procura burguesa do bem-estar, os requintes duma sociedade no caminho da hiperindustrialização, os deleites de uma revolução libertária nas artes e nas letras e, sobretudo, o medo duma grande conflagração fizeram com que os instintos imperialistas da Europa, já então a braços com grave crise social e prenúncios de superprodução, se voltassem para a partilha e ocupação efectiva dos impérios coloniais, ideia que se materializou com a partilha da África na Conferência de Berlim.

Entrava-se nos felizes 40 anos de «Belle Époque», da civilização dos Boulevards, das grandes exposições e dos congressos internacionais, enfim, da vida alegre e despreocupada a que a guerra de 1914-18 poria brutalmente fim. Durante estes anos os tiros de metralha soariam para a China, que a Europa sonhara dominar, para os longes da Manchúria (guerra nipo-russa), para o Sul da África (guerra dos Boers) ou ainda para a Índia e América Central.

II — A consciência dos horrores da guerra.

MAS voltemos aos primeiros conflitos da década de 60. No conjunto da guerra italiana as campanhas mais exemplares em matéria de duríssimos combates foram, sem dúvida, as de Magenta e Solferino. Um panorama excessivamente sangrento começava a impressionar a consciência de uma Europa que se dizia civilizada: milhares de mortos, milhares de feridos e prisioneiros abatidos, centenas de mortos resultantes da quase inexistência de equipas de socorros, que retirassem os feridos do teatro das batalhas, ou de hospitais de campanha, aliás uns e outros também sujeitos à fúria destruidora das armas.

Todavia, se as guerras se sucediam cada vez mais destruidoras, elas não teriam, só por si, força suficiente para conduzirem a tal tomada de consciência. Por outro lado, já anteriormente se tinham registado catástrofes de muito maiores proporções, como por exemplo as das campanhas napoleónicas, sem que daí viesse qualquer repercussão ou profunda reacção da opinião pública contra os excessos da guerra.

Então, pergunta-se: qual o segredo das campanhas militares desenroladas na década de 1960-70? O «segredo» transcende as próprias campanhas e reside, sobretudo, na intervenção de novos factores — um maior interesse pelos problemas sociais e uma nova forma literária em jornais ou livros.

A imprensa sofreu uma profunda remodelação nos processos da publicação e publicidade. Os jornais, que até ao fim da primeira metade do século XIX apresentavam noticiários maçudos e certa literatura destinada a um público especial, doutrinando politicamente mas sem qualidade, passaram a reservar grande parte das suas colunas a bons nomes da literatura e à reportagem dos grandes acontecimentos da humanidade. Nascia, assim, o jornalismo moderno, beneficiário, entretanto, do aparecimento de adequada maquinaria que embarateceu e vulgarizou a imprensa diária. O jornal começa a ter um peso extraordinário na opinião pública, quer política quer culturalmente, e a reportagem vivida passa a ser um dos seus principais instrumentos.

Agora, fàcilmente se compreende o porquê da enorme projecção dos acontecimentos italianos e espanhóis, aos quais foi dada total publicidade por parte de jornalistas europeus e americanos.

Essas reportagens «vividas» nos campos da batalha impressionaram a opinião pública civil e militar, que começou a temer os efeitos incalculáveis de uma luta sem um mínimo de respeito pela dignidade e integridade humanas.

Por outro lado, o livro começava a abandonar os temas, já cansados, do romantismo — o culto do herói mal ou bem-amado e a exaltação dos sentimentos individuais. O peso dos acontecimentos fazia chamar a atenção do homem comum para a realidade sócio-económica que o rodeava. O social passava a valer mais que o individual. Um Zola e um Dumas estavam próximos, como próximos também estavam a *Questão Coimbrã* (1865) ou as *Conferências de Casino* (1871), enfim, o realismo e o socialismo, de que foram ardorosos defensores, respectivamente, Eça de Queirós e Antero de Quental.

24

III — *Das repercussões dum livro às primeiras conferências internacionais; Os primeiros ensaios: «comissões de auxílio» e «sociedades de socorro».*

FOI precisamente sob a forma duma literatura de narrativa realista, jornalística, que apareceram, então, os primeiros livros defendendo um ideal filantrópico, social e foi dentro duma linha de condenação da guerra e de exaltação dos ideais humanitários que se publicou em Genebra, em 1862, o célebre livro de Henry Dunant *Souvenir de Solferino*, no qual se descreviam, numa linguagem viva, os mal conhecidos horrores dessa batalha, aliás, comum a tantas outras que varriam o mundo. O livro, que tivera grande repercussão nos meios suíços, sempre afectos à filantropia internacional, fez com que algumas importantes personalidades helvéticas manifestassem o desejo de uma conferência internacional destinada a suprir as deficiências nos socorros. Nasciam, assim, as «sociedades de socorro» ou «comissões de auxílio» que, logo no ano imediato e já controladas por uma comissão internacional, iriam ensaiar a sua actuação no auxílio às vítimas da guerra dos condados do sul da Dinamarca. Pouco depois (1866), durante a guerra austro-prussiana, seria organizada na Europa Central uma comissão sanitária internacional.

Ao desejo da Suíça correspondeu, afirmativamente, o de uma Europa temerosa dum inevitável confronto militar entre grandes impérios. Deste modo, foi aproveitado um momento óptimo, pois a maioria das consciências apoiariam todas as medidas que contribuíssem para minorar as consequências de uma guerra em grande escala. É dentro deste contexto que, em 1863, se realiza em Genebra, graças à Sociedade de Utilidade Pública dessa cidade e ao seu presidente, Gustavo Moynier, uma conferência onde se discutem quais os socorros que os militares feridos teriam a esperar das classes civis e como estes se processariam.

Mas isso não bastava. Apesar de internacional, as delegações nacionais que compunham a conferência careciam de oficialização — a base necessária para se estabelecer qualquer compromisso ou para se fazer cumprir quaisquer disposições duma convenção. Para tal, pediu-se a realização de outra conferência internacional mas com a participação, ao nível governamental, de todos os estados interessados, para se poder deliberar sobre a neutralização dos hospitais, das ambulâncias, do pessoal sanitário, dos próprios feridos (quer já retirados, quer não, do campo de batalha) e ainda sobre o uso dos distintivos.

Foi assim que, em 12 de Agosto de 1864, por iniciativa do Conselho Federal Suíço e secundado por Napoleão III, Imperador dos Franceses, se reuniu o

El-Rei D. Luís

desejado Congresso de Genebra, no qual participaram mais de 15 países através de delegações oficiais. Porém, o convénio que então se estabeleceu tinha por base, sensìvelmente, o que já se tinha elaborado durante a Conferência de 1863.

IV — *A participação portuguesa nos movimentos humanitários internacionais anteriores à guerra de 1870-71; Os primeiros anos de vida da Comissão Portuguesa.*

PORTUGAL, que para o efeito fora convidado na pessoa do Chefe do Estado, D. Luís, não podia deixar de estar presente, dado o seu espírito cristão e todo um passado de frutuosa actividade humanitária.

Neste congresso a delegação portuguesa esteve a cargo do cientista Dr. José António Marques, que, por meio de brilhantes intervenções, conseguiu tornar extensivas as neutralizações aos militares doentes mas não feridos, o que, sem dúvida, foi de grande alcance humanitário, pois o projecto da Convenção contentava-se em obter a qualidade de neutrais para os feridos graves. O representante português dá-nos assim a explicação da sua atitude: «Realmente fora pouco justo que a neutralidade se não estendesse aos militares doentes, que são os que constituem a maior força do movimento dos hospitais militares em campanha e com doenças, na verdade, consequências tão ordinárias da guerra, num grande número de casos, como ferimentos recebidos em combate» (¹).

A Nação e o próprio Rei D. Luís, que, como todos os chefes de Estado, delegara em pessoa competente o convite que lhe fora dirigido, puderam congratular-se com a oportuna actividade deste cirurgião militar. Mas isto não foi tudo. A participação do Dr. José António Marques no Congresso de 1864 era só o começo de uma longa carreira em prol da humanidade.

Patriota no mais puro sentido da palavra, mas cientista com dezenas de estudos publicados e inúmeras comunicações louvadas em congressos no estrangeiro, era homem com uma visão larga dos problemas e um perfeito conhecimento dos meios internacionais do seu tempo. Como português, sabia que, acabado o Congresso, nunca mais se voltaria a ouvir a voz de Portugal nos areópagos do humanitarismo internacional, a menos que... a menos que se intentasse uma aventura de meia dúzia de «maduros» que mantivessem acesa em Lisboa a chama de filantropia que acendera em Genebra. Já aí, interpelado sobre as condições que existiriam em Portugal de se vir a formar uma comissão nacional, logo respondera, honestamente, que nada de congénere se tinha formado até então, mas ainda se poderiam reunir algumas pessoas competentes e empreendedoras que, apoiadas no temperamento caridoso do povo português, atirassem a obra para diante. Animavam-no os sentimentos benemerentes da empresa. Porém, a realidade das coisas também lhe mostrava não ser tarefa fácil.

É com esta fé sem ilusões que, regressado a Portugal, José A. Marques empreende a luta pela criação da Comissão Portuguesa, feita à imagem dos princípios orientadores do Congresso de Genebra e mantida em estreito contacto com todos os movimentos semelhantes da Europa ou do mundo. Funcionário médico do Ministério da Guerra, conseguiu, desde logo e pela comunicação do seu entusiasmo, captar a boa vontade de certos oficiais generais e de outras entidades civis bem conhecidas pelo seu espírito humanitário. Foram, assim, reunidos os elementos da equipa de cujo trabalho resultou em 2-2-1865, a organização provisória da Comissão Portuguesa de Socorros a Feridos e Doentes Militares em Tempo de Guerra. Se bem que provisória, estava criada a Comissão Portuguesa, da qual se pretendia uma pronta e eficaz activação, não só em tempo de guerra, como o próprio título indicava, mas também em tempo de paz, isto é, «com o fim de satisfazer durante a paz o objectivo de seu instituto» (²).

Assinaram os sete artigos dessa organização provisória nomes importantes da ciência, da medicina e do exército, tais como o general de brigada Barão de Wiederhold; o conselheiro Bernardino António Gomes,

Dr. José António Marques

que foi o primeiro presidente (in nomine) da Comissão (1865-6); o general de brigada Augusto Xavier Palmeirim, que viria a ser o segundo presidente (de facto) no período áureo da Comissão; António Maria Barbosa, cirurgião da Câmara de Sua Majestade El-Rei o Senhor D. Luís; Dr. João José Simas, médico da câmara real; Carlos Ciryllo Machado; e o fundador da Comissão Portuguesa e seu elemento mais activo, o cirurgião de brigada Dr. José António Marques.

A 9 de Agosto de 1866 realizava-se numa das salas do Ministério da Guerra a primeira sessão (assembleia geral) da Comissão Portuguesa, durante a qual foram escolhidos os seus corpos gerentes. Para a presidência, em substituição do conselheiro A. Gomes, foi eleito o General José Maria Baldy — o primeiro presidente daquilo que, mais tarde (1887), se chamaria «Cruz Vermelha Portuguesa».

A política interna e externa do País, apesar da precipitação dos acontecimentos na Europa e após meio século de invasões, revoluções e lutas civis, beneficiava da calmia política introduzida pelo «rotativismo» e por certa promoção económica do «fontismo». Todavia, a ainda recente experiência da guerra levava os portugueses em busca da paz.

Seja por isto ou pelo entusiasmo próprio da novidade, a Comissão prosperou nos primeiros tempos, pelo menos internacionalmente, não deixando de estar presente nos areópagos da especialidade. Prova desta relativa prosperidade foi o caso da nossa participação na exposição e conferência de Paris (1867), relativa a objectos de ambulância e a tudo o que contribuísse para melhorar os socorros aos feridos de guerra.

Foi na reunião de 9 de Agosto de 1866 que a Comissão Portuguesa tomou conhecimento dessa iniciativa internacional e da proposta que lhe tinha sido dirigida. Em continuação do esforço que vinha desenvolvendo e apesar de não estar definitivamente construída, a Comissão Portuguesa acedeu ao convite. E para tal, não lhe bastando o envio de uma delegação na pessoa do notável médico militar Dr. Augusto Carlos Teixeira de Aragão, participou no certame com o mais recente material de ambulância do exército português.

Obteve-se bom êxito em Paris: além da actuação na conferência com oportunas comunicações, a Comissão foi galardoada com uma medalha de prata na exposição, cabendo a mesma honra a cada um dos seus membros; os directores dos depósitos donde haviam saído os objectos expostos — roupas, objectos de cirurgia e medicamentos — foram contemplados com medalhas de cobre. O sucesso obtido e o interesse despertado levaram ainda a delegação portuguesa a comprometer-se na colaboração para um jornal internacional da Comissão Central.

Na verdade, várias referências provam que o nosso pavilhão foi bastante apreciado. Estão neste caso as atenções de que foi alvo por parte dos facultativos militares enviados por várias nações à exposição de Paris e que, depois, publicaram relatórios, como foi o caso da Inglaterra e dos Países Baixos. Tem para nós especial interesse o do professor inglês de cirurgia, Longmore, o qual, entre outras coisas, diz que a maca usada então pelo exército português disputou a primazia à dos Estados Unidos.

A própria Comissão Internacional começou a ver com mais interesse a Comissão Portuguesa. Assim, pela acta da reunião de 6 de Novembro de 1867, ficámos a saber que a nossa comissão, satisfazendo um pedido da Comissão Internacional de Genebra, expediu uma cópia dos Estatutos Provisórios e um exemplar do seu timbre com a finalidade de, por esse meio, participar no pavilhão internacional. São também desta época os frequentes contactos com Lisboa pedindo a opinião quer sobre o modo de serem prestados os socorros no tempo de guerra, quer sobre a representação de todas as comissões nacionais em Genebra, quer ainda sobre muitos outros assuntos, tais como a publicação dum jornal naquela cidade ou a criação de um museu em Paris com o material para aí enviado aquando da exposição de 1867.

Todavia, se a Comissão Portuguesa fazia salientar internacionalmente a presença de Portugal, todo esse trabalho de três anos ficara a dever-se, na quase totalidade, ao esforço do homem sábio e dinâmico que foi J. A. Marques.

Em boa verdade a Comissão Portuguesa entrava, a pouco e pouco, em crise. Desde 1866 que alguns dos seus elementos se encontravam destacados em comissões oficiais, caindo todo o peso dos trabalhos sobre o secretário-geral, que, apesar de toda a boa vontade e até do reconfortante êxito alcançado em Paris, dificilmente poderia levar a bom termo uma tarefa que de dia para dia apresentava maiores responsabilidades internacionais. Por outro lado, a Comissão continuava por se oficializar, o que impedia todo e qualquer movimento a nível nacional.

Dá-nos bem conta destas dificuldades a acta da reunião realizada a 6 de Novembro de 1867, durante a qual o Dr. J. A. Marques leu a minuta do ofício dirigido em 10 de Agosto de 1866 ao Ministério da Guerra pedindo o reconhecimento da Comissão como instituição autorizada. Seria preciso esperar ainda mais de oito meses para finalmente, em 26 de Maio de 1868, serem satisfeitos os justificados desejos da Comissão Portuguesa, que, deste modo, viu autorizadas as suas organização oficial e definição estatutária.

Saíram os estatutos com 11 artigos, dos quais se destacavam, em relação aos provisórios, o que estabelecia a quantia de 1$200 réis anuais a pagar pelos membros aderentes, o que definia a comissão como centro e núcleo de subcomissões e o que abria as portas à participação feminina, a qual, se por um lado estava de acordo com a melhor tradição portuguesa (de que foram exemplos as Rainhas D. Beatriz, Santa Isabel, D. Leonor e mais recentemente D. Estefânia), por outro lado era já prenúncio de certa dignificação da mulher, que se intensificaria no começo do século xx. Também a partir dessa altura a Comissão passara a poder capitalizar donativos em tempos normais. Porém, não bastava o reconhecimento dos estatutos e da organização para que tudo corresse pelo melhor, pois continuava a faltar uma permanente e eficaz assistência por parte dos seus elementos.

Na verdade, se a crise já era bastante visível após o êxito esporádico de Paris (1867), acentuara-se depois, nos anos que decorreram entre o reconhecimento oficial (1868) e Outubro de 1870. Nesse curto espaço de três anos uma série de falecimentos e ausências quase levaram a Comissão à dissolução: além do presidente, José Maria Baldy (4-9-1870), também tinham falecido dois dos membros mais activos — o general Barão de Wiederhold e Carlos Ciryllo Magalhães; o general Augusto Xavier Palmeirim e o conselheiro B. A. Gomes estavam afastados em comissões oficiais. Esta crise ainda mais se agravava com a falta de meios pecuniários.

Foi já com a finalidade de obstar a este estado de coisas que se realizara a reunião de 10 de Setembro de 1868, na qual se determinara, na generalidade, dar maior desenvolvimento à Comissão, já então autorizada, e, em particular, aumentar o número dos seus membros, considerando-se demasiado restrito o que até aí tinha vigorado. Porém, tanto este problema como outros continuariam sem qualquer solução até 1870. Aliás, só assim se poderão compreender as ausências, aparentemente inexplicáveis, na exposição e conferência de Genebra, em Agosto de 1868 (na qual se pretendia rever a Convenção de 1864), e nas de Berlim, das Sociedades de Socorro, realizadas em 1869.

No que se passava com a Comissão, havia muito de comum à vida de tantas outras instituições portuguesas que, já não falando do seu fraco associativismo, nasciam e subsistiam amparadas ao espírito de improvisação dum entusiasta. É de acrescentar aqui que o «clima» nacional, relativamente calmo, explica, até certo ponto, um insensato desinteresse pelos socorros aos feridos e doentes de guerra, se bem que já não se justificasse a incompreensão de que é no tempo de paz que se prepara a guerra ou se preserva aquela.

Impunha-se, portanto, uma reforma, mas, para tal, faltava um estímulo, interno ou externo, que, pela sua força, justificasse os princípios e as tarefas da Comissão Portuguesa. E quando, em 1870, toda a Europa se apresentava cientificamente preparada para auxiliar os feridos e doentes de guerra, quando a Comissão Central de Genebra pensava que a Comissão Portuguesa tinha desaparecido, eis que todo um país acorre à voz que inesperadamente ressurge em Lisboa. Por certo, apesar de distante, a guerra de 1870 fora o estímulo para este ressurgimento.

V — A dimensão da «Grande Guerra» de 1870-71.

E não era para menos. A guerra, de há muito temida, rebentara em princípios de Agosto e com uma intensidade tal que muitos observadores previram-na de pouca duração. Infelizmente tal não se verificara. Os combates sucederam-se e ela prolongou-se. Os jornais espalhavam por todo o mundo,

e também por Portugal, o horror da tragédia. Só em Agosto registavam-se, além de inúmeros combates, as batalhas de Forbach (4/8), Reichshoffen, 9000 mortos (5/8), Metz (6/8), Borny (14/8), Colombey, Neuilly (idem), Mar-la-Tour e Gravelotte, dois dias de combate e 18 000 mortos (15/8), Beaumont, mais de 5000 mortos e 3000 prisioneiros, e Nosseville, 6500 mortos (31/8). Em todas estas batalhas os alemães levaram de vencida as tropas de Napoleão III e aproximaram-se perigosamente de Paris. Depois foram as grandes vitórias alemãs com as capitulações de Metz (18/8), Sedan (7/10) e as batalhas de Artenay (vitória sobre o exército do Loire a 10/10) e de Orléans (11/10). O Imperador estava prisioneiro. A República era restaurada. Paris estava cercada por centenas de milhares de alemães. O Governo da República organizava a resistência mas a França continuaria a sofrer duras sangrias nas batalhas à volta de Paris (28/11), em Beaune-La-Rolande, 2300 mortos e muitos prisioneiros e feridos (20/11), em Champigny, 4000 mortos (de 30/11 a 2/12), e em Coulmiers, vitória francesa. Mas o pior ainda estava para vir nos duros meses de Dezembro e Janeiro. Assim, em Loigny Poupry registaram-se 14 000 mortos (2/12), em Orléans 30 000 (4/12), em Le Mans 10 000 mortos e 20 000 prisioneiros, em três dias de combate (10 a 12/12). A mortandade prolongou-se ainda por Janeiro de 1871, com as batalhas do monte Valeriano (19/1) e Lisaine (15 e 17 de Janeiro). Depois veio o armistício assinado em Frankfort a 10 de Maio de 1871 e a constituição do Império Germânico em Versailles. O número de feridos, doentes e prisioneiros de guerra era elevadíssimo e a sua situação, mais do que precária, agravava-se com o rigor do Inverno. A guerra custaria aos alemães 400 000 mortos; aos franceses, 200 000 além de 721 000 prisioneiros, a perda da Alsácia e Lorena e o abandono de valioso material de guerra.

VI — Participação importante e honrosa da Comissão Portuguesa no auxílio às vítimas da guerra franco-prussiana.

APESAR da crise que atravessava, a Comissão Portuguesa não podia ficar indiferente perante uma opinião pública europeia e nacional profundamente impressionada com a evolução dos acontecimentos. Ela sentiu necessidade de enfileirar ao lado de outras nações neutrais e, assim, contribuir para minorar o sofrimento de muitos milhares de vidas.

Em Portugal, ninguém como o Dr. José António Marques conseguiu mobilizar maior número de esforços e vontades conducentes ao brilhante ressurgimento da Comissão Portuguesa. Entre muitas outras actividades desenvolvidas por este benemérito aquando do conflito, salienta-se a publicação de vários artigos no *Jornal do Comércio*, os quais definiam o dever nacional e humanitário em presença das circunstâncias da guerra.

E as suas palavras não foram vãs, pois em Portugal ainda havia bons corações e gente empreendedora. O próprio Dr. J. António Marques escreveu no seu *Relatório:* «O nosso público, com todas as suas naturais tendências para o bem e para ir em auxílio dos que o praticam, compreendeu a missão humanitária e patriótica que tinha a peito o Comício Português e graças a este facto pôde Portugal apresentar-se, sem ostentações é verdade, mas de um modo muito honroso» [3].

A Comissão Portuguesa recebera, assim, novo impulso, mas a sua reconstituição ficar-se-ia a dever, também e em grande parte, ao bom acolhimento do povo português — povo tanto mais de admirar ao sabermos que sessenta anos antes tinha sofrido três invasões francesas. Apesar de tão curta distância (para a memória dum povo) o separar dos flagelos e morticínios cometidos por outro Napoleão Bonaparte; apesar de sentir na alma e no corpo as cicatrizes bem vivas desses padecimentos, é esse mesmo povo que, desde Outubro de 1870, contribuiu com dinheiro e géneros para suavizar o sofrimento de muitos soldados franceses. E este gesto toma ainda mais significado quando conhecemos a débil situação sócio-económica do país no século XIX.

Contudo, se bem que não se esperasse a desafecção do povo, o impulso da campanha ficara-se a dever, sem dúvida, aos membros da Comissão e, muito especialmente, ao Dr. J. A. Marques. Foi ele que, na condição de secretário-geral, reuniu na sua casa, em 7 de Outubro de 1870, os restantes membros da Comissão em crise e, comunicando-lhes o ardor do seu entusiasmo, conseguiu estabelecer as bases da reconstituição bem como os planos ou esquemas de actuação — contactos, recolha de subsídios, remessas, etc.

Um dos primeiros problemas aí estudados foi o do alargamento do quadro da Comissão, pois as circunstâncias assim o exigiam. Inúmeras individualidades bem relacionadas, empreendedoras e da maior importância nos campos da ciência, do comércio e das finanças, foram então convocadas para uma próxima reunião onde se estabeleceria a nova orgânica, formariam grupos de trabalho e seria discutido o plano a realizar. A presidência, em vacatura, foi atribuída ao general Augusto Xavier Palmeirim, e no lugar de secretário-geral continuou o infatigável Dr. António Marques. Por fim, deliberara-se pedir a protecção da Família Real. Essa reunião magna realizou-se cinco dias depois, a 12 de Outubro de 1870, na Sala das Sessões da Sociedade de Ciências Médicas de Lisboa.

Das dezenas de convocados, raros foram os casos de recusa, ou falta de comparência, o que foi considerado como bom prenúncio. Uma vez organizados os quadros e estruturadas as tarefas , discutiu-se aí a maneira como Portugal devia apresentar-se e o modo pelo qual a Comissão devia proceder.

No que respeita às resoluções então adoptadas assentou-se quanto «... aos funcionários da Comissão, manter nos seus cargos os que já os tinham e acrescentar a nomeação de mais um vice-secretário, que recaiu no Sr. Dr. Francisco José da Cunha Vianna; 2.º — organizar listas de subscrição, para serem entregues aos membros activos e distribuídas por pessoas da confiança; 3.º — escrever aos cavalheiros de influência e favorável posição social, para coadjuvarem a obra humanitária da Comissão; 4.º — dirigir circulares aos bispos e outras autoridades eclesiásticas das dioceses, assim como aos governadores civis, pedindo a todos eles a sua coadjuvação; 5.º — tratar de organizar no Porto e onde mais fosse possível comissões filiais; etc,» [4]. Estes cinco pontos principais que constam na acta da 5.ª sessão de 12 de Outubro de 1870, publicada em apêndice ao «Relatório e Contas da Comissão Portuguesa de Socorros a feridos e doentes militares em tempo de guerra (período anual decorrido de 13 de Outubro de 1870 a 12 de Outubro de 1871)», dão bem uma ideia da variedade e do número das iniciativas levadas a efeito pela comissão executiva, então criada no seio da Comissão Portuguesa. Com reuniões todas as sextas-feiras, era ela quem superintendia na série de trabalhos logo de início programados.

Às diligências encetadas começam a corresponder os bons resultados. As circulares enviadas aos governadores dos bispados e bispos das dioceses, do Continente e Ilhas, obtêm o melhor acolhimento.

Sob o impulso e as facilidades concedidas pelas superiores autoridades civis dos distritos constituíram-se, além das comissões de Lisboa (D. Luís de Carvalho Daun e Lorena) e do Porto (Joaquim Taibner Morais), as subcomissões de Aveiro (José Beires), de Beja (visconde de Boavista), da Guarda (Luís Eugénio da Cunha Seixas), de Portalegre (A. Pedro Nunes de Vellez Júnior), de Viana do Castelo, do Funchal (D. João da Câmara Leme), do Faial (A. J. Vieira Santa Rita), de Angra do Heroísmo (Félix Borges de Medeiros) e de Braga (António Alves Carneiro). Quanto ao caso de Viseu, diz textualmente o Dr. J. A. Marques na página 12 do seu *Relatório:* «... sendo para assinalar os relevantes serviços do Ex.ᵐᵒ Rev.º Sr. Gaudêncio José Pereira, governador do bispado de Viseu e actualmente presidente honorário da comissão portuguesa».

Entretanto, a imprensa, que já tinha franqueado as suas colunas aos apelos do Dr. Marques, dá ajuda decisiva ao movimento filantrópico, através da sua divulgação em mais larga escala e por todo o País. E, como isto não bastasse, aparece a 13 de Outubro de 1870 uma subscrição realizada pelo *Jornal do Comércio*.

No dia seguinte (a 14 de Outubro de 1870) abria a subscrição oficial da Comissão Portuguesa, destinada a angariar subsídios em géneros e dinheiro, a qual iria durar até 6 de Agosto de 1871.

Na verdade a imprensa teve uma prestimosa acção divulgadora e promotora, pois, desde os primeiros dias de Outubro e imediatamente após a abertura da subscrição, começaram a aparecer nos jornais diários os resultados das subscrições, bem como «circulares» elucidando e incitando a população a aderir ao movimento. Estas circulares publicar-se-iam por todo o mês de Outubro. Por sua vez o *Diário de Notícias*, que sempre facultara à Comissão Portuguesa uma publicidade gratuita, organiza uma lista de subscrição própria.

Ainda em Outubro o movimento ultrapassava os limites da capital. A 25 desse mês constituía-se no Porto, sob o impulso do grande benemérito João Mendes Osório, a chamada Comissão Filantrópica Portuense que, em ambiente de grande entusiasmo, reuniria 3 180$410 réis, além de muitos subsídios em géneros. Esta Comissão da segunda cidade do País obtinha desde logo o justo assentimento da Comissão Portuguesa para uma actuação com inteira independência, isto é, que lhe permitisse realizar subscrições próprias e aplicar ou expedir os donativos que viesse a reunir. Em consequência desta responsabilidade directa resultaria mais tarde um relatório especial.

A Comissão Portuguesa também não demorou a mostrar internacionalmente os seus propósitos. Para tal comunicou à Comissão Central de Genebra a resolução de participar no auxílio às vítimas de guerra e confirmou, com felizes previsões, o seu «ressurgimento». No Boletim de Outubro (n.º 5, pág. 66) da Comissão I. de Genebra lê-se o seguinte: «Anunciando no nosso terceiro Boletim que a Comissão Central de Lisboa tinha deixado de existir, manifestávamos a esperança de a ver renascer em melhores tempos, não duvidando que seria, pelo contrário, uma época de calamidades que lhe forneceria ocasião de se reconstituir. Cheia de piedade pela vítimas da guerra actual, compreendendo bem os seus deveres internacionais, começa a tomar alento, e prepara-se para manifestar os seus sentimentos por estas obras. Nada podemos dizer por enquanto sobre os seus actos, mas sabemos que já a iniciativa desse despertar pertence ao Dr. Marques, fundador da obra em Portugal, e esperamos com confiança o resultado do caloroso apelo que ele dirigiu aos seus compa-

General Augusto Xavier Palmeirim

triotas.» Em menos de 15 dias já na Suíça se conheciam os termos em que iria decorrer a campanha encetada em Lisboa. Aguardavam-se agora os resultados que começavam a mostrar-se promissores.

O movimento espalhara-se, de seguida, pela província, ramificando-se das capitais do distrito aos concelhos e destas às numerosas freguesias. Em Viseu, Braga, Portalegre, Aveiro, Beja e Guarda foram criadas delegações da Comissão nacional que começavam a dar os seus frutos. Na primeira destas cidades o entusiasmo pelo movimento foi comunicado a todo o distrito pelas autoridades locais, tendo-se obtido 417$400 réis — como constam das contam publicadas nos números do *Jornal de Viseu* de 5/3, 20/4 e 21/5 de 1871 —, quantia que colocou o distrito num lugar de destaque logo a seguir ao do Porto. Aliás, tanto em Viseu como em Coimbra, Braga e Beja, o êxito da campanha ficou a dever-se à benemérita actividade das autoridades eclesiásticas.

A comissão executiva também não esquecera o valioso auxílio das forças armadas. Para o conseguir foram dirigidas circulares e apelos aos generais comandantes de armas especiais e de divisão, sobressaindo no *Relatório* os nomes de José de Vasconcelos Correia, comandante da 3.ª divisão militar, a quem a subcomissão do Porto ficou a dever uma coadjuvação eficaz e o do comandante-geral de Engenharia, comandante da subdivisão de Faro.

Por outro lado, distribuíram-se mais de 400 cartas e mais de 120 listas de subscrições a pessoas abastadas ou influentes e a colectividades de importância na vida do País. Além de entidades colectivas civis, tais como a Sociedade Farmacêutica Lusitana, contou-se com a participação dos donativos dos oficiais e praças de numerosos regimentos da capital e da província, tais como os regimentos de Artilharia n.º 1 e 3, de Infantaria n.ᵒˢ 2, 8 e 10, de Caçadores 5, e da Polícia Civil. Em Faro todos os militares, incluindo os reformados, contribuíram abnegadamente para o socorro aos feridos e doentes de guerra. A este auxílio, prestado pelas colectividades militares, juntaram-se as comparticipações de muitas instituições de assistência, laicas ou religiosas, de Lisboa e da província: asilos, hospitais e seu pessoal, associações de caridade, conventos, etc.

Do mesmo modo contribuíram os teatros da capital (S. Carlos, Trindade, Casino Lisbonense, Circus Price), do Porto e de Viana do Castelo, pois os respectivos empresários facilitaram a efectivação de espectáculos de beneficência, realizados por actores profissionais ou por sociedades de «curiosos» (nome que então era dado às companhias de amadores).

Foi neste clima de intensa actividade que foram expedidas para Genebra, via Londres e Antuérpia, as primeiras remessas em dinheiro e em géneros. Os bons contactos dos elementos influentes da Comissão traduziram-se não só numa maior facilidade das operações bancárias mas também nos fretes feitos, gratuitamente, por terra, pela Companhia Real dos Caminhos de Ferro de Portugal, e por mar, através de casas comerciais transportadoras marítimas de Lisboa (Eduardo Pinto Basto & C.ª) e do Porto (Alexandre Miller). Sobre estas remessas foi feito um seguro na Companhia Garantia, que generosamente fez reverter o valor do prémio a favor dos fundos da Comissão.

Como que coroando todo este esforço da comissão executiva, o governo «de Sua Majestade El-Rei o Senhor D. Luís» ordenou que a correspondência da Comissão Portuguesa fosse dada como oficial e a impressão de circulares e de outros impressos que lhe eram indispensáveis ficasse a cargo da Imprensa Nacional.

De todas estas numerosas diligências e dos bons resultados obtidos pela comissão executiva tomou-se conhecimento na reunião de 3 de Dezembro de 1870.

O contentamento com que então foram apreciados os resultados não pertenceu sòmente aos portugueses. Por intermédio do *Boletim do Comité Internacional de Guerra* de Janeiro de 1871, também ficámos a conhecer a satisfação com que era seguido, lá fora, o trabalho realizado em Portugal. São do referido *Boletim* as seguintes passagens: «Colocada sobre a protecção dos membros da família real, a comissão está constituída por homens de Estado, banqueiros, grandes negociantes, generais, numa palavra, notabilidades de todos os géneros. Os trinta e sete nomes que a compõem são os de pessoas muito conhecidas e muito respeitadas.»

«... Em grande número de cidades da província criaram-se, por ordem da Comissão Central, comissões locais. Uma das mais importantes, a do Porto, foi criada pela dedicação de um seu habitante, o Sr. João Mendes Osório.»

«O primeiro cuidado da Comissão Portuguesa, assim organizada, foi o de recolher donativos para as vítimas da guerra actual. Foi sobre este ponto, por assim dizer, que ela tem feito convergir até agora todos os seus esforços, mas esta actividade externa bastará, estamos disso convencidos, para ligar indissolùvelmente Portugal ao feixe das sociedades da Cruz Vermelha.» E a seguir acrescentava: «já foram expedidas de Lisboa importantes remessas de socorro para os beligerantes, por intermédio da Comissão Internacional. Uma primeira oferta, de 10 000 francos em dinheiro e setenta e oito volumes, faz-nos augurar bem do futuro, e provam que Portugal entende dever rivalizar em generosidade com os outros países neutros».

Na verdade, já tinham sido expedidas 400 libras em dinheiro, a 12 de Novembro de 1870, e setenta e oito volumes de géneros no valor de 900 000 réis, a 24 do mesmo mês. Depois, em Janeiro, continuou-se o envio de remessas: mais de 400 libras em dinheiro (a 20/1/71) e, no mesmo dia, 22 volumes no valor de 1 752 000 réis.

Entretanto e apesar de o furor da guerra ter já declinado, não diminuía o entusiasmo pela subscrição: em Braga, Viseu, Viana do Castelo e Funchal continuavam a obter-se bons resultados e em Lisboa realizava-se no Teatro São Carlos um espectáculo de beneficência do qual adveio boa receita.

Quando, a 3 de Fevereiro de 1871, se realizou outra assembleia geral da Comissão e aí se expôs o trabalho realizado ou a realizar, já a comissão executiva estava a organizar uma nova remessa de mais de 200 libras, a qual se veio a efectivar a 18 de Fevereiro de 1871.

O fim da guerra estava para breve (10 de Maio de 1871). Porém, o movimento filantrópico internacional continuou a interessar-se, aliás justificadamente, pela sorte de dezenas de milhares de feridos e prisioneiros que se encontravam nas piores condições. Por isso a Comissão Portuguesa não abandonou, por um só momento, o seu trabalho, continuando-se a angariar toda a espécie de subscrições e procedendo-se, imediatamente, em 15 de Março de 1871, a uma sexta remessa de 48 volumes de géneros no valor de 548 000 réis. Outras duas, de 44 volumes cada, seriam ainda expedidas com o valor de 280 000 e 390 000 réis, respectivamente. Esta última remessa chegaria ao seu destino já com certas dificuldades.

A 3 de Outubro de 1871 realizava-se a última sessão da Comissão Portuguesa relacionada com os socorros a feridos e doentes da guerra de 1870-71. Nessa reunião foram eleitos os presidentes honorários e fizera-se a leitura do projecto do *Relatório*, com a publicação do qual se concluíra a benemérita participação da Comissão Portuguesa durante o conflito.

É por esse magnífico documento — dir-se-ia feito a pensar no futuro, ou melhor, na história dos movimentos humanísticos portugueses — que ficámos a saber o total das subscrições: 6 689$410 réis. Se reduzíssemos os géneros a dinheiro, este número aumentaria para 8 462 000 réis ou 1880 libras, ou ainda 235 000 francos, o que foi, de certo modo, lisonjeiro para Portugal.

Estava cumprida a grande tarefa humanitária que fez ingressar definitivamente Portugal no grémio das nações que sempre têm lutado pelo bem-estar e harmonia dos povos.

Citações não assinaladas no texto

(1) *Cruz Vermelha Portuguesa* 1865-1925, Centro Tipográfico Colonial, 1926, Lisboa, pág. 12.

(2) *Relatório e Contas da Comissão Portuguesa de Socorros a Feridos e Doentes Militares em Tempo de Guerra*, etc. Lisboa, 1871. Artigo I da *Organização Provisória da Comissão Portuguesa*, etc. in apêndice n.º 1.

(3) *Relatório e Contas da Comissão Portuguesa de Socorros a Feridos e Doentes Militares em Tempo de Guerra*, etc., pág. 11.

(4) *Idem*, in apêndice, Acta da Reunião de 12 de Outubro de 1870.

LUIZA MANOEL DE VILHENA

SORTELHA:
UMA «VILA» ESQUECIDA

SEMPRE ouvi dizer que Portugal seria um país rico se a pedra fosse coisa exportável. Verdade seja que já hoje exportamos pedra: nos cais de Lisboa são embarcados enormes blocos de mármore. Mas este comentário não diz respeito a tão aristocrática pedra, refere-se apenas à mais vulgar, ao calcário comum, ao basalto, ao xisto e sobretudo ao granito — às enormes massas de granito escondido sob um palmo de terra arável e o que francamente aflora, em pedra solta, em rocha semidescoberta e por vezes em imponentes conjuntos de enormes fragas que «povoam» as nossas serranias, sobretudo as da Beira e as de Trás-os-Montes.

No entanto, apesar de ser tão pedregoso o nosso solo e tão habitual entre nós a paisagem granítica, julgo que dificilmente se encontrará tão impressionante amontoado de penhascos e de pedra sob todas as formas como em Sortelha.

Quem segue ao longo da estrada que passa por Sortelha, ao modo que dela se aproxima vai vendo a vegetação rarear: as magras searas do centeio tornam-se cada vez mais pequenas e mais ralas, apertadas entre rochedos; os grandes castanheiros isolam-se (aparecem, quando muito, agrupados em soutos de meia dúzia de árvores rodeadas de barrocos *) — e a pedra invade tudo, a pedra domina, a pedra impera.

Já de longe se vê o Castelo. No alto de uma serra escarpada, empoleirado num pico como certas ilustrações de histórias para crianças (como os castelos que nos surgem, maravilhosamente impossíveis, em desenhos de Walt Disney), o de Sortelha parece também uma visão irreal, inesperada no mundo em que vivemos.

Pertence à linha defensiva de vários outros castelos que mais ou menos acompanham a nossa fronteira e foram em tempos idos redutos de resistência aos invasores: como Celorico, Trancoso, Penedono, Sabugal — para citar apenas, ao acaso, alguns nomes. Reconstruído por D. Sancho I, julga-se que a sua origem seja romana, e a apoiar esta convicção mostram-nos túmulos romanos e três calçadas conhecidas pelas «calçadas romanas», numa das quais são ainda bem visíveis as grandes lajes de formato irregular, alisadas e desgastadas pelo uso de séculos.

Por estas calçadas, que continuam a ser polidas pelos socos dos aldeões, pelas cardas das botas, até pelo brando contacto das nossas solas, quantas gerações terão subido? Àquelas lajes foram arrancadas faíscas pelas ferraduras de cavalos montados por senhores medievais: talvez cavaleios cobertos de armadura ou de cota de malha. Terão sido subidas também — galgadas, defendidas, perdidas — por soldados romanos? É possível. Ou é provável. E talvez alguém saiba, talvez o passado de Sortelha não seja tão obscuro para historiadores e estudiosos como é para nós e para as pessoas que ali vivem. Julgamos no entanto que Sortelha é terra pouco conhecida, terra esquecida pelo tempo e pelos homens. E poderíamos dizer que Sortelha é simultâneamente vítima e beneficiária desse esquecimento: vítima porque cai em ruínas, beneficiária porque ali tudo é legítimo, autêntico, quase intocado pelo correr dos séculos. Chegou até lá a electricidade e o telefone, alguns ouvem telefonia, talvez até vejam televisão — mas bàsicamente nada mudou, nem o ambiente nem a mentalidade.

Entramos na povoação, que não é muito diferente de outras aldeias beirãs. Sortelha pertence ao concelho do Sabugal, zona fronteiriça da Beira Alta, e ali encontramos, como seria de esperar, ruas sinuosas onde, em terra endurecida (lama no Inverno, pó no Verão), foam incrustadas, à moda de calçada dispersa, pedras grandes, um pouco abauladas, afastadas umas das outras. As casas são de pedra solta, a telha é vã, não há chaminés, sai pelos telhados um fumozinho incerto — é hora da ceia — e espalha-se no ar um delicioso cheiro a caruma queimada.

A rua principal, essa calcetada, leva-nos ao Solar — há sempre um solar numa terra beirã. Este, bonito na sua simplicidade e na pureza das suas linhas, pertence à família dos Correa da Costa e Vasconcelos, de que é actual representante o Visconde de São Sebastião. Outra pequena casa de tipo solarengo, a «Casa de Santo António», pertencente à mesma família, e um bonito

---

* Termo que usam na região e que significa rochas amontoadas.

Entramos na «vila» por uma «porta» ainda intacta.

Povoação tìpicamente beirã.

*O pelourinho
e um ângulo
do castelo.*

Faltam pedras na muralha.

Torre do castelo.

Solar dos Viscondes de S. Sebastião.

O sino do solar.

Capela do solar.

Igreja da «vila».

Pelourinho, enquadram o largo, aos pés do Castelo, donde parte a subida para a «vila».

A «vila» é lá em cima, dentro da muralha — ou do que resta da muralha. Em baixo, fora de portas, é o «povo». Sortelha é o conjunto de um e de outra.

Subimos a «calçada romana» e entramos na «vila» por uma porta ainda intacta, ao passo que na muralha faltam muitas pedras, tiradas, segundo nos disseram, pelos próprios habitantes que com elas vão construindo suas casas. A «vila» parece um cenário montado para rodagem de um filme medieval. As casas, a igreja, o ambiente, até o aspecto e os modos das pessoas: tudo condiz. São caras «antigas». Haverá caras antigas? Mas é que algumas parecem arrancadas às Tábuas de Nuno Gonçalves. São caras angulosas, de feições vincadas e olhar intenso, testas grandes, lábios finos, expressão solene. Os corpos são secos, geralmente altos, descarnados na velhice. E há muitos olhos azuis — mas a pele é morena e os cabelos escuros.

Sortelha, vila medieval, foi povoada por familiares nobres cujas casas brasonadas lá existem ainda. Essas casas brasonadas mal se diferenciam das outras que as rodeiam: são de construção semelhante, feitas pelos mesmos blocos de granito pardo, sem reboco — apenas um pouco maiores. São quase tão pobres como as outras. Apertadas entre as outras. Têm como único adorno a pedra de armas e alguma rudimentar cantaria. São habitadas por modestas famílias de camponeses serranos.

Perguntámos a nós mesma que será feito das famílias nobres — nobres e pobres, a avaliar pelas casas que habitavam — a quem pertenceram os «solares» brasona-

*Medidas de comprimento
marcadas na parede de uma casa.*

Outra «porta».

dos da «vila». Terão partido para outras terras menos ingratas na esperança de melhor vida? Ter-se-ão extinguido? Ou terão como descendência alguns daqueles aldeões altivos, de porte nobre e alma nobre, mas sem brasão? Sem brasão ou esquecidos de que o têm — talvez perdido o brasão por atrofia de coisa inútil, por adaptação ao meio: ao meio pobre e austero, frugal, rochoso e duro das terras de Sortelha.

A vista do Castelo é surpreendente. De um lado, encosta abrupta, eriçada de penedos e coberta de vegetação densa — uma encosta inacessível: por ali não viria o inimigo. Aos pés da muralha, o «povo», mancha parda de pequeno casario onde sobressai, um pouco isolado, o Solar. E mais abaixo, muito mais abaixo, no fundo do precipício, um longo vale verdejante. Para lá da muralha estende-se a serrania onde o terreno é dobrado e redobrado até perder de vista: um mar encapelado de fragas alterosas, apoiadas umas sobre as outras em prodigioso equilíbrio, ou fragas solitárias, enormes, de estranho e curioso formato, como por exemplo a «Cabeça da Velha». Dentro da muralha vive a pequena vila medieval, «reserva» de um passado perdido que ali é ainda quase presente.

Sortelha é uma «vila» esquecida.

«Cabeça da Velha».

Um trecho da «vila».

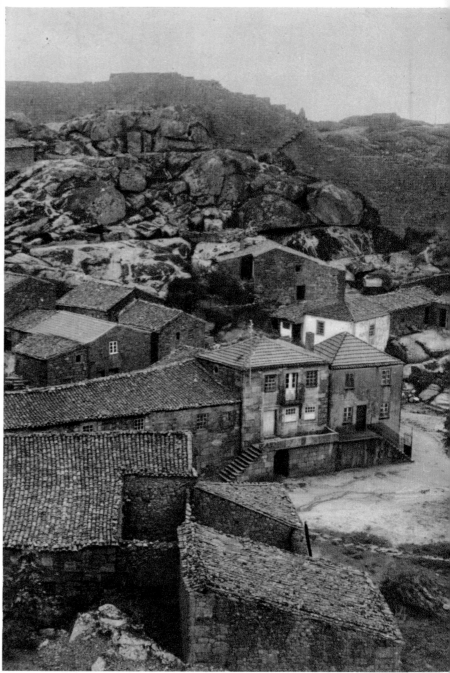

NO CINQUENTENÁRIO DE
AMADEU DE SOUSA-CARDOSO

INTERROGUEI-ME longamente sobre o que, do meu ponto de vista, seria realmente útil dizer a propósito de Amadeu de Sousa-Cardoso, morto há meio século.

Pràticamente esquecido durante 30 anos, Sousa Cardoso como que renasceu a partir dos fins da década de 40 até atingir a posição cimeira a que teve direito, desde sempre, na Arte Portuguesa, numa galeria onde, de certeza, está também Nuno Gonçalves e muito poucos mais.

Sousa Cardoso é hoje — e bem — um herói nacional, e eu sou dos que repudiam a afirmação brechtiana — «infelizes as pátrias que precisam de heróis». Sousa Cardoso é, e bem, repito, um herói nacional. Amarante, a sua terra, consagrou-lhe há anos uma pequena praça sobre o Tâmega, honrou-o no seu Museu e promoveu em 1968 as suas comemorações cinquentenárias. Não creio que ainda seja possível encontrar-se, como eu encontrei em 1946, salvo erro, um álbum dos *XX Desseins*, sob uma pilha de jornais velhos, numa adega de Vila Meã, e, sem dúvida, o seu *atelier* já não se encontra no triste estado de abandono que apresentava quando, em 1948, o visitei. O meu optimismo vai mesmo ao ponto de acreditar que ele já não seja designado na região pela alcunha de «O doido de Manhufe», como ainda se ouvia há vinte anos, mas não vou tão longe que afirme que, no íntimo de algumas consciências, as preferências se não dirijam ainda para Acácio Lino, simpático velhinho que tive o prazer de conhecer.

Está, pois, assente no consenso geral que Amadeu é um génio — «a primeira descoberta de Portugal na Europa do século XX», segundo a afirmação clara de Almada Negreiros, que de tão repetida quase já perdeu o seu sentido autêntico e mais profundo. Assim sendo, não há que o defender nem sequer que o explicar. O génio — ou o herói — afasta-se de tal modo da nossa escala normal de valores que qualquer tentativa para o explicar o diminui e defendê-lo é quase sacrilégio. Afigura-se-me que o máximo que a nossa humildade deve poder tentar é situá-lo no seu tempo, definir as coordenadas em que a sua acção se desenvolveu ou a sua obra se realizou, com o único objectivo de, do quadro assim composto, fazer ressaltar, em plena luz, a sua grandeza. E o seu tempo são aqueles anos do século XX em que definitivamente terminou o século XIX.

Quem folhear hoje os jornais ou revistas dos anos 10 não pode subtrair-se a um curioso sentimento de estranheza. Pouco mais de meio século e como que dois mundos geomètricamente paralelos, de impossível encontro.

Percorrer a *Ilustração Portuguesa* permite captar o retrato da nossa sociedade do princípio do século. Com o seu aspecto Arte Nova, já um pouco tardia, que preocupações, que clima de vida nos revela? Desde a descrição pormenorizada de uma festa no Bosque de Bolonha («Duas soberbas mulheres, vestidas de branco, brancos os chapéus e as rosas de que se rodeavam, mostravam-se numa carruagem de luxo cuja cobertura eram ainda flores alvas que se espalmavam numa cauda longa e que mereciam os olhares de toda a gente. Chamavam àquele carro o do *Cometa* e ante tão engraçada e artística exibição o Paris espirituoso comentou e riu!») até à fotografia de um espírito materializado, obtida numa sessão em casa do médium Bourenell, em Londres, tudo nos parece tão distante e insólito como as próprias notícias do dia-a-dia: a viagem de ida e volta através da Mancha, entre a França e a Inglaterra, realizada pelo inglês Roll, a publicação, pela distinta poetisa Sr.ª D. Luthgarda de Caires, do livro *Glycínias*, «numa edição requintada e luxuosa como um vestido de baile», a eleição do Sr. Dr. Bernardino Machado para a presidência da Sociedade de Geografia, como homenagem aos grandes serviços por ele prestados ao País.

É por esta época que Amadeu de Sousa-Cardoso parte para Paris. Talvez tenha assistido à tal festa no Bosque de Bolonha. Sem dúvida, acompanhou pelos jornais a vitória de Carpentier sobre Bombardier Wels, o *raid* Paris-Cairo de aeroplano, o casamento de Nijinski na América do Sul, o roubo da Gioconda e a sua recuperação em Florença, as atitudes espaventosas de Sarah Bernhardt e Lucien Guitry...

Pierre Rousseau, no seu livro *Voyage au bout de la Science* torna-nos companheiros, por um dia, do astrónomo francês Guilherme Bigourdan, membro da Academia: «Era um activo sexagenário de compridos

Pintura - 1909.

bigodes pendentes, vestido de preto como exigia a sua condição de homem de ciência. Pertencia ao Observatório de Paris havia trinta e quatro anos e nunca largara o posto que lhe fora destinado quando lá chegara: o óculo da torre oeste. Que trabalhos realizara durante esta longa carreira: trabalhos de *astronomia de posição*, isto é, essencialmente medidas de coordenadas dos astros. Tabalho austero, decerto, mas, pelo menos em França, o único de bom-tom a que um astrónomo se podia dedicar. [...] Escravo do trabalho, o respeitável sábio persuadira-se de que um observatório é feito para observar ... e declarara que, se um dia lhe confiassem a direcção do de Paris, instituiria um tal sistema de turnos que nenhum fenómeno celeste poderia escapar. [...] Na Academia, Bigourdan sentava-se, lado a lado, com outras figuras categorizadas da astronomia matemática: Henri Poincaré, Radau, Benjamin Baillau, Bouquet de la Grye. Todos eles, pela familiaridade com

a matemática, haviam criado uma psicologia determinista que, de maneira geral, era característica do século» que estava a morrer.

Saberia então o Sr. Bigourdan que, não longe do seu observatório, Montparnasse já existia? Mas, que o soubesse, isso poderia significar alguma coisa para si, bem couraçado no seu fato escuro de homem de ciência? Como reagiria se lhe dissessem que um italiano, então já habitante desse bairro, um tal Amadeo Modigliani, iria aí morrer dentro de alguns anos, marcado pela doença, pelo álcool e pelo haxixe, e que a mulher, sua companheira desde os tempos da Grand-Chaumière, iria decidir não o abandonar na morte, para o que se lançaria da janela do seu 5.º andar?

«La Rotonde» abrira as suas portas em 1911, contemporâneamente à inauguração do Boulevard Raspail pelo presidente Poincaré, e situava-se no ângulo deste boulevard com o de Montparnasse. Nos três anos que precederam o fim definitivo do século XIX, pelas cadeiras do seu bar passaram quase todos os que, ignorados embora por M. Bigourdan e seus pares da Academia, estavam, à sua maneira, já lançados no século seguinte: Derain, Vlaminck, Modigliani, Soutine, Picasso (só de passagem), Apollinaire, Max Jacob, Amadeu de Sousa-Cardoso também. Em torno deles, a grande multidão anónima dos vencidos de Paris, que Vlaminck descreve nas suas memórias: «Um espectáculo estranho, bizarro, desprendia-se desta amostragem de humanidade que representava, com poucas excepções, todas as raças do globo. Cada um destes personagens parecia ter sido escolhido como um fenómeno único do seu país. Uns barbeados, outros barbudos, outros ainda com os olhos cobertos por grandes óculos escuros, de cabelos compridos ou crânios luzidios. O corte, a cor, o tipo do vestuário completavam o estranho deste quadro que tinha alguma coisa de *music-hall* e de um filme de Charlot».

Os artistas de Guilherme Bigourdan, decididamente, não eram estes, mas o nosso astrónomo tinha também as suas preocupações de espírito, como qualquer dos seus colegas, nesse tempo. Pierre Rousseau recorda-nos que, então, o sábio era um indivíduo duplo, um humanista no qual se implantara um especialista. «Enquanto o especialista se ocupava da sua tarefa, o humanista informava-se de tudo o que estava ao seu alcance e, com frequência, lia correntemente latim e grego. [...] Assim acontecera com Henri Poincaré, que, na licenciatura, obtivera a nota mais elevada em latim. Assim, também Émile Picard durante muito tempo preferira a literatura e a história à matemática. Branly hesitara entre a Escola Normal de Letras e a Normal de Ciências e desolava-se por não ter obtido em grego senão o segundo lugar. O violino de Ingres do astrofísico Pierre Salet era a filosofia persa e indiana...»

Curiosamente, Montparnasse pagava-se na mesma moeda. Os estranhos seres que aí habitavam não eram indiferentes à ciência, apenas os seus sábios eram outros. Talvez um Max Plank, talvez um Einstein, talvez um Rutherford. O corte entre «as duas culturas» denunciado por Percy Snow ainda não tinha, na verdade, assumido proporções tão alarmantes como na actualidade, pelo que creio nunca ser excessivo lembrar a uns e a outros, aos dois antagonistas actuais, este comentário (ou o seu inverso) do escritor e cientista britânico: «Tal como o surdo, não sabem o que lhes falta. Dão uma risadinha de comiseração ao ouvirem falar de cientistas que nunca leram uma obra importante de literatura inglesa. [...] Já estive muitas vezes presente em reuniões de pessoas que, pelos padrões da cultura tradicional, são consideradas extraordinàriamente bem educadas e que, com grande satisfação, exprimem a sua incredulidade perante a ignorância dos cientistas. Uma vez ou duas provocaram-me e fui forçado a perguntar aos membros da reunião quantos deles sabiam definir a segunda lei da termodinâmica. A resposta foi fria e foi também negativa. E no entanto eu perguntara-lhes algo que é o equivalente científico de: 'Já leu alguma obra de Shakespeare?'»

Mas voltemos ao tema escolhido e regressemos, pois, aos anos 10. Que estava a passar-se, realmente, nos espíritos e iria forjar o novo mundo que habitamos hoje?

Talvez valha a pena determo-nos um pouco para analisar em que esteios assentava o pensamento científico pelos fins do século, e, fundamentalmente, creio que podemos reduzi-los a quatro bases essenciais.

Será a primeira a que definia a natureza como uma inalterável cadeia de causas e efeitos, pela qual, insofismàvelmente, uma mesma causa só poderia conduzir a um mesmo efeito. O espírito determinista comprazia-se na sua certeza de que qualquer incerteza científica só poderia significar ignorância. Desde que o conhecimento fosse completo, predizer a consequência de um acto seria uma questão tão possìvelmente resolúvel como somar dois com dois.

Esta confiança tinham-na os homens do século XIX herdado já de Laplace, que afirmava ser possível, se conhecêssemos, em dado instante, os percursos e velocidades de cada átomo do universo, determinar com exactidão os seus percursos e velocidades em todos os instantes subsequentes. E daí, no campo das possibilidades, não era negada à inteligência humana a viabilidade de predizer, sem a menor incerteza, o destino de todo o universo, desde as moléculas aos homens, das galáxias aos países.

Lord Raleigh, no último quartel do século, dera corpo doutrinal ao segundo dos pressupostos, proclamando que as nossas ideias só se tornam claras quando se quantificam e só o que é mensurável é possível de uma discussão científica. Por este princípio quantitativo a natureza poderia ser exactamente descrita por números, e o progresso do conhecimento que dela pudéssemos ter dependia da nossa capacidade de relacionação desses números.

Apoiou-se o século XIX num terceiro princípio, tão dado por definitivo como os anteriores. Postulava esse que os movimentos da natureza eram graduais, mantendo-se a continuidade do processo de cada momento para o seu seguinte. Entre dois instantes haveria sempre um intermédio; entre cada par de posição, uma outra posição. Se uma sequência surgia como inex-

Desenho.
Pintura - 1914.

plicável, bastaria dividir o seu campo em secções me-
nores, até a correlação entre elas se tornar inteligível.

Finalmente, nesta era da omnipotência da certeza
científica, o cientista deveria ser (e assim, na realidade,
ele se via) um instrumento e jamais um ser humano.
Sem paixões, sem preconceitos, se possível conservado à
temperatura de 4° centígrados, como a famosa barra de
platina que, no Museu de Sèvres, representa a centé-
sima milionésima parte do quarto do meridiano terres-
tre. No fundo, talvez o cientista se achasse um pouco
mais que humano...

E, assim apoiada no determinismo, na medida, na
continuidade e na impersonalidade, a ciência iria avan-
çar imperturbàvelmente, defendida das incertezas e dos
inesperados da vida quotidiana!

Este era, se nos é lícito tomar a parte pelo todo, o
mundo ordenado, organizado, que se oferecia à imaginação de Amadeu de Sousa-Cardoso. E aqui parece
ser viável assumir o todo pela análise de uma parte,
não só por a omnipotência da ciência definir então o
comportamento útil dos homens, mas também pelo próprio espectáculo oferecido pelas criações do espírito e
pelos actos quotidianos de cada um, apesar dos esforços de algumas vozes dissonantes, como as de um Cé-
zanne ou de um Van Gogh, de um Ibsen ou de um
Dostoiewsky. Mais: apesar da voz de Max Planck, que,
em 1899, dera um violento golpe no edifício oitocentista
da ciência, ao apresentar a teoria dos *quanta*.

Iria, na verdade, caber aos artistas a tarefa de se anteciparem aos seus pares da segunda cultura na formulação do novo espírito. Assim teria de ser, se aceitarmos que «a imaginação é anterior à sensação», que «a arte precede a ciência»; se aceitarmos a afirmação de Fernando Pessoa e lhe fizermos a necessária e legítima generalização, de que «a corrente literária *precede sempre* a corrente social».

Antecipavam-se os artistas, os homens do espírito, mas talvez não tanto como desprevenidamente se possa supor. Diga-se antes que a sua actividade era mais espectacular e mais sujeita às ondulações férteis do escândalo. A ciência evoluiu velozmente, no silêncio dos gabinetes de trabalho, sem que a sociedade se desse conta, confortável nos seus chapéus de coco, nos seus plastrons, nos seus sobretudos compridos, severamente negros. M. Bigourdan estava condenado. Apenas ninguém se tinha sequer preocupado em lhe comunicar a sentença.

Desmoronou-se o belo edifício da certeza científica quando se verificou que a incerteza na descrição do comportamento de um electrão estava implícita no carácter do próprio electrão, e Werner Heinsenberg, em 1927, iria provocar a derrocada final na visão puramente determinista dos eventos naturais ao englobar no património da ciência o seu Princípio da Incerteza. Heisenberg descobrira que quanto mais cuidadosamente procurasse medir a posição de um electrão, menos certo estaria da sua velocidade, e, se tentasse determinar-lhe a velocidade, a sua posição tornar-se-ia incerta. É verdade que o Princípio da Incerteza se refere a partículas e acontecimentos de uma escala extremamente reduzida, mas nem por isso de menor importância, pois são condicionadores do funcionamento do cérebro, intervêm nos gigantescos arranjos dos átomos nos cromossomas, influenciam o comportamento da matéria sujeita a condições extremas de calor ou de frio.

Paralelamente novas ciências auxiliares da História iam dando os seus frutos ordenados: a Arqueologia, a Antropologia e a Etnologia. Todas e cada uma iam desfazendo o perigoso axioma, até então aceite sem reservas, de a herança greco-latina englobar, culturalmente, quanto de útil os séculos haviam legado.

Era como que a instilação de um «Princípio de Incerteza» cultural na base dos cânones que regiam o comportamento do artista desde o Renascimento — e, as consequências desse facto, só agora começamos a ter perspectiva histórica para as podermos avaliar devidamente.

O pressuposto quantitativo de Lord Raleigh não tardou também a ser abalado, desde logo, por certos conceitos das ciências sociais nascentes, que só raramente aceitavam a medida ou sequer a comparação.

Na biologia e nas ciências físicas o interesse desviava-se igualmente da medida numérica para o campo das relações lógicas ou empíricas. E, se isto não quer dizer que o cientista tenha passado a dispensar o número, significa que esse número deixou de ser um fim em si mesmo para se tornar numa ferramenta que o auxiliasse a melhor entender as leis que governam as relações estruturais na natureza. E o princípio quantitativo teve de ceder o seu lugar ao conceito de estrutura.

Contemporâneamente, pela ciência da linguagem, iniciava-se, no reino da cultura literária, a revolução estruturalista: os discípulos de Ferdinand de Saussure publicavam em 1915, dois anos após a morte do mestre, o seu *Cours de Linguistique Générale.*

Em larga medida, podemos dizer que, ainda aqui, as artes visuais se antecipavam aos conceitos científicos, mesmo aos linguísticos. A dissecação da realidade circundante, na procura de uma definição das propriedades intrínsecas dos objectos, aproxima-se, iniludìvelmente, do processo crítico do estruturalismo; sòmente aqui, nas artes plásticas, o seu uso não se fazia como método de análise crítica mas antes no plano da criação artística. Da mesma maneira que «a investigação estrutural não pretende explicar o conteúdo da obra mas analisar as regras combinatórias que estão na base do funcionamento semiótico literário», o artista desinteressa-se do significado global do modelo para lhe analisar, exaustivamente, os seus elementos constitutivos. A definição de Roland Barthès — «descrever a gramaticalidade das frases, não a sua significação» — é fàcilmente adaptável à arte deste século.

Voltando aos caminhos da ciência, notemos que, embora a descontinuidade do universo tivesse ficado estabelecida na divisão atómica da matéria, parecia que os físicos do fim do século se não tinham dado inteiramente conta do significado dessa descoberta. A teoria da continuidade teve, porém, de ser irremediàvelmente abandonada logo que se demonstrou que a energia apresentava uma estrutura simil-atómica e não podia, tal como o átomo, ser indefinidamente dividida. Assim, ao reconhecer-se que quer a matéria quer a energia existem e actuam sòmente em unidades descontínuas de dimensões definidas, a possibilidade da descrição exacta do universo, a que os sábios oitocentistas aspiravam, passou, pura e simplesmente, para a funda área das ilusões perdidas. Realmente, esse conhecimento exacto implicava, pelo menos em princípio, a fixidez. Eliminada esta, qualquer descrição nunca poderia ser mais do que uma média tomada em dado período de tempo, por mais curto que ele fosse, mas que jamais poderia ser reduzido a zero e ignorado.

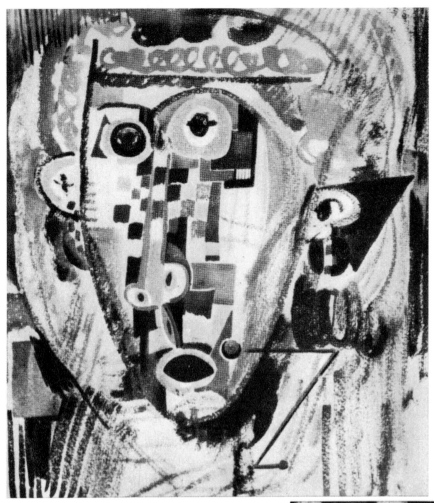

«*Litoral*» - *Cabeça*
Aguarela - 1915.

Pintura - 1915.

«*O Fumador de Boquilha*»
1916.

Na sua linguagem peculiar, o mesmo iam afirmando aqueles artistas que procuravam introduzir a dimensão tempo nas suas obras. Inesperadamente, o rosto que simultâneamente se vê de frente e de perfil, o cavalo em movimento de Boccioni e outros tantos exemplos que será inútil mencionar aqui, tornam-se cientìficamente expressivos de uma realidade universalmente constatável.

Enfim, a relação entre o cientista e o objecto de ciência evoluiu igualmente, de forma radical, neste século XX. O homem deixou de ser um observador impassível, frio e insensível, como as lentes do seu microscópio ou da sua luneta, para se tornar numa parte indispensável das suas observações.

O nosso M. Bigourdan podia ter tido a percepção desta realidade se nos seus ombros não fosse tão pesada a herança dos «conceitos definitivos» que recebera. Podia tê-la tido ao menos graças àquela irritante «equação pessoal» com que era obrigado a corrigir os cálculos na sua tão querida «astronomia de posição». Mas foi Albert Einstein quem se recusou, de uma vez por todas, a aceitar, por mais tempo, o que considerou de simplesmente irrealista. Regista a ciência factos impessoais? Pode separar-se o acontecimento da sua observação e o facto da sua descoberta? Einstein respondeu que não e tal relação considerou-a antes como um conceito essencial da física. Essa foi, talvez, a mudança fundamental que Einstein impôs a todo o pensamento científico. Como escreveu Caroline Ware «ele meteu o observador dentro da observação e, através dela, na própria formulação da lei».

Aqui é por demais evidente o paralelismo de comportamento daqueles artistas que se iriam responsabilizar pelas fundações da arte deste século. O Princípio da Necessidade Interior, de Kandinsky, é um correspondente artístico da Teoria da Relatividade, de Einstein. É a partir dele que melhor se define a participação do artista na obra criada.

Se para Einstein a relação envolve o objecto, o observador e a corrente ou sinal que necessàriamente se estabelece entre ambos, na chamada «arte moderna» participam, com posições bem definidas e irrecusáveis, o artista criador, o objecto criado e o observador. Não que na arte dos outros séculos o observador, ou fruidor da obra, fosse negligível no processo artístico. Bastaria recordar o alongamento deformante das esculturas gregas para se verificar que o artista, no acto da criação, contava com a presença do observador. Mas, agora, trata-se de uma participação total no fenómeno que, sem a inclusão deste terceiro elemento, permanece incompleto e insignificativo.

Foi ainda Einstein quem primeiro reconheceu as afinidades existentes entre os processos de trabalho do cientista contemporâneo e os dos artistas, ao afirmar que a intuição e a inspiração eram essenciais ao pensamento científico, visto que «o conhecimento é limitado mas a imaginação é capaz de abraçar o mundo todo». E o cientista americano Lancelot Whyte confirmou que o espírito intuitivo do artista se tem antecipado a algumas descobertas das ciências exactas. «Na verdade — diz Lancelot Whyte —, as dissonâncias e tensões da pintura e da música das últimas décadas exprimem seguramente o *élan* de assimetria, as imperfeições, diferenças e tensões que iniciam o movimento em direcção a um modelo mais perfeito e duradouro. A ideia clássica de perfeição estática, ou harmonia, está a ser complementada por um reconhecimento profundo das desarmonias reais que provocam mudança e crescimento.»

Esta capacidade antecipativa do artista tem-se demonstrado vezes suficientes ao longo da história para não dever já causar espanto, mas, inevitavelmente, o espanto, o escândalo, acompanham sempre uma era de criação intensa como tem sido a nossa. O que se deve deixar bem claro é que a atitude viva do artista vivo não podia ser, nos últimos decénios, senão a da interrogação e a da procura. Procura desenfreada, se se quiser, mas a única que a sua própria essência de artista lhe podia indicar. Se «a imaginação é anterior à sensação», a sua missão só podia ser a de preparar o outro reino do espírito para a grande aventura deste século. E se a nossa humildade em relação à Arte fosse semelhante à que todos nós, não cientistas, experimentamos em relação à ciência, muitos equívocos se teriam evitado, muitas tolices se não diriam, muitas dores se teriam poupado aos grandes criadores.

Talvez não caiba no âmbito deste trabalho inquirir se o ponto de equilíbrio para que sempre tendem os períodos revolucionários não deveria já vislumbrar-se e, não se vislumbrando, como é o caso, interrogarmo-nos sobre as causas que porventura conduzam a esta cadeia de sucessivas aventuras. Talvez não seja este o momento de lembrar Michel Foucauld a afirmar que «o homem é uma invenção recente e, sem dúvida, o seu fim está próximo», ou Lévi-Strauss a proclamar que «o fim último das ciências humanas não é constituir o homem mas dissolvê-lo». Entrar agora nesse campo conduzir-nos-ia inevitàvelmente à floresta tão actual da chamada «contestação», onde vozes bem claras propõem a «abolição da arte», a proscrição do termo «artista», a substituição dos antigos esquemas por uma «guerrilha cultural» que teria como função primordial «arruinar todas as mitologias culturais sobre as quais os poderes cristalizam a imagem da sua própria superioridade». Alain Jouffroy, tendo presente o modelo de Estado bàsicamente comum à maioria dos países da Europa Ocidental, sustenta mesmo que todas as superstruturas podem ser fàcilmente

*Canção Popular - «A Russa
e o Fígaro». 1916.*

Pintura.

47

destruídas se um movimento de contestação global atacar o poder no seu ponto mais fraco — a sua ideologia. Não sei quem se disporá a ouvir e fixar tão definidos propósitos, mas tudo isso são problemas de hoje e Amadeu de Sousa-Cardoso, o nosso pretexto, morreu há 50 anos.

«Amadeu — o nosso pretexto»: no mínimo, é feio dizer-se isto num texto que pretende inserir-se no coro das homenagens prestadas ao pintor. Mas o respeito pela verdade obriga-me a confessar que, para mim, esta homenagem serviu simplesmente de pretexto para chamar a atenção sobre tudo o que tenho vindo a dizer. Parece-me que o entendimento bem claro das relações entre o artista contemporâneo e a sociedade onde intervém é fundamental e anterior a qualquer discussão estética. Sem esse entendimento básico, sem se compreender totalmente o húmus onde mergulham as raízes das revoluções do século XX, arriscamo-nos muito sèriamente a continuar, todos e cada um de nós, a falar linguagens diferentes, em que os mesmos sinais linguísticos têm o significado que cada qual lhes atribui.

Eu suponho que este cinquentenário da morte de Amadeu de Sousa-Cardoso seria suficientemente útil se tivesse levado até à inteligência dos poucos ou dos muitos portugueses que pelo evento se interessaram a noção de que Amadeu, se é uma figura ímpar da nossa história cultural, não o deve ao facto de ter sido um grande pintor, se é que o foi e eu penso que sim. Mas, como artista construindo a sua obra, honrada e luminosamente como qualquer decente tradição aconselha que se glorifique, não é difícil, mesmo em Portugal, encontrar-lhe émulos. Os poucos anos que os fados lhe concederam para se dedicar ao ofício de pintar não lhe consentiram também aquele requinte do artesão que por vezes somos levados a ambicionar-lhe, diante de algumas das suas obras. O outro Amadeu — o seu amigo Modigliani — foi talvez esse grande pintor que Sousa-Cardoso pode não ter sido, mas foi também muito menos importante para a própria Itália. E muito menos importante exactamente por força de quanto tenho vindo a procurar mostrar.

É aqui que nos encontramos de novo com a expressão de Almada Negreiros, e agora já é possível entendê-la como ambos merecem: «a primeira descoberta de Portugal na Europa do século XX».

O que estabelece a grandeza de Amadeu é, antes de tudo, o ter encontrado, para Portugal, o «número» do século que estava a nascer. Esse número, «imanente no universo», é a ideia que se transforma em sinal identificador; é ele quem define o invólucro cultural e é ele, afinal, quem, no fim do processo, virá a ser descoberto por aqueles a quem só é permitido procurar e

jamais encontrar gratuitamente. Como os gregos dos tempos heróicos o deveram a Prometeu, assim nós o devemos a Amadeu. Ele no-lo deu, a nós portugueses; e deu-o em português.

Quando Jean Cassou escreveu que a França devia um testemunho de gratidão a esse «jovem criador que honrou a Escola de Paris», só epidèrmicamente roçou nas asas da verdade. Cassou acrescentava que Amadeu introduzira na Escola de Paris «as graças do génio português» e isso é também muito pouco, para o artista e para a Escola. Porque a Escola de Paris, essa Escola de Paris a que Sousa-Cardoso pertenceu, foi muito mais universal do que parisiense, e Amadeu, em Paris, foi, sim, o elo que sùbitamente ligou a sua Pátria ao pulsar ritmado do tempo que chegava.

Não era a França que devia gratidão ao pintor português. A cidade de Paris não fora mais do que o local onde os acasos da fortuna criaram as condições e reuniram os homens que iam dar, para os quatro cantos do mundo, os sinais anunciadores. Amadeu era um deles — e era o nosso. Tão importante ele foi, tão fora da medida habitual, que décadas passaram sem que se desse por ele, sem que lhe notassem a verdadeira dimensão até aqueles que mais próximos estavam de uma possibilidade de entendimento. É significativo o facto de um homem como Diogo de Macedo, ao escrever em 1930 sobre os seus anos de Paris, na Cité Falguière, não lhe dedicar senão dois ou três parágrafos e dizer num deles: «Amadeu, se a morte o não vence, seria hoje o maior pintor português». Mas Diogo de Macedo não viu que isso era o que menos interessava em face daquilo que Amadeu fora realmente? Ser o maior pintor português pode episòdicamente importar para uma época, para um grupo, para o próprio artista... «se lá no assento etéreo [...] memória desta vida se consente». Mas, por graça da «imaginação que abraça o mundo inteiro», ter, num só gesto, entregue o seu tempo à sua pátria, isso é uma dádiva perene, é a oferta definitiva que os gostos das épocas não podem esquecer ou menosprezar. E essa é a dimensão exacta da grandeza de Sousa-Cardoso.

Para honra nossa, um homem, no seu tempo, o entendeu — e não sei se mais alguém, do Portugal de Amadeu, o poderia entender. Esse escreveu em 1916: «amanhã, quando souberes que o valor de Amadeu de Sousa-Cardoso é o que eu te digo aqui, terás remorsos de o não teres sabido ontem.» (Almada Negreiros.)

Todos temos remorsos de o não termos sabido ontem. Todos, não: todos menos aqueles que ainda amanhã não sentirão remorsos; todos menos aqueles que em suas eruditas conversas continuarão a falar de arte como de qualquer coisa que tem pouco ou nada a ver com a vida, com o homem total, com o universo.

A. VELEZ PINTO

DUAS EXPOSIÇÕES NOTÁVEIS: GRAVURAS DE GRANDES NOMES DE PARIS E JOVEM GRAVURA DE PARIS

RESPECTIVAMENTE em Novembro do ano transacto e em Março de 1971, efectuaram-se no Palácio Foz duas exposições de gravuras, litografias e serigrafias, assinadas por notáveis pintores e, também, por jovens artistas das mais recentes gerações.

Estas duas mostras completaram-se, por forma evidente, tanto no plano da informação baseada em factores cronológicos e de prioridades inventivas ao nível de algumas propostas essenciais — que ficaram amplamente demonstradas pelas obras de Sonia Delaunay, de Hartung, de Tàpies — como do ponto de vista da investigação técnica e plástica, realizada pelos mais jovens gravadores, caso, por exemplo, de Hasegawa, de Ballif, de Krystina Smiechowska, de Beeri ou de Cabé

A estampa original articula-se a três sectores distintos de uma análise global do objecto de arte: pelas virtualidades intrínsecas a técnicas diversas, determinadas por estruturas físicas particulares e determinantes de processos de criação que conduzem a resultados diversos

BERNARD BUFFET — «Veneza». Contestado ou admirado, Buffet mereceu, por parte do público lisboeta, um interesse geral em que havia curiosidade e, simultâneamente, adesão efectiva às suas propostas tão intimamente ligadas a complexos sociológicos e ao plano das «visões do mundo».

4/120

VIEIRA DA SILVA. Gravura da Colecção da Secretaria de Estado da Informação e Turismo.

dos conseguidos em pintura, em desenho, em pastel, pela significação real que apresenta no plano de uma maior acessibilidade à posse de objectos de arte assinados por nomes conhecidos e ambicionados, e, por fim, por razões decorrentes da vasta adesão dos maiores nomes da arte do nosso tempo à execução de estampas originais em tiragens numeradas e autografadas.

A tripla articulação acima descrita, baseada numa mais ou menos longa história da gravura e da litografia, justifica e explica o sucesso crescente deste sector da produção plástica dos nossos dias.

Na exposição de Novembro último, e não obstante a presença de obras de inegáveis valores, avultaram as participações pessoais de Hartung, Soulages, Sonia Delaunay, Vieira da Silva, Tàpies e Bernard Buffet.

Uma selecção qualitativa e quantitativa devidamente realizada permitiu uma significativa mostra panorâmica: paralelamente aos grandes nomes, normalmente acompanhados de fama e de cotação, vieram nomes habitualmente considerados secundários, mas cujas características, por marcadas, justificavam a integração de obras suas no conjunto em Novembro apresentado: referimo-nos especialmente a Schneider, a Feito, a Taslitzky ou a Zao-Wou-Ki.

Louttre, Fiorini, Dorny, Brillant, Hasegawa, Ballif, entre outros, são os valores que mais avultam na mostra recentemente encerrada da «Jovem Gravura de Paris». Se Walker, Peyceré, Laffineur, Gafgen ou Fossier se impõem pela variedade das suas buscas e pelo carácter peculiar das suas propostas, a maior maturidade — efectivamente mais velhos — dos anteriormente referidos, as dimensões essenciais dos seus espaços psicogenéticos ao nível de criações exemplares dos primeiros, e ainda os casos particulares de Krystina Smiechowska — cuja produção atinge uma beleza complexa e barroca, apoiada num «métier» considerável — e de Cabé, com um jogo «pop» de reuniões paradoxais, e um aproveitamento agora sistemático do relevo em branco tornado primordial nas suas gravuras, permitem o estabelecimento de uma hierarquia de jovens, mais assente numa prioridade de adesões imediatas e ulteriormente justificadas e reelaboradas, do que em juízos valorativos sumários ou precipitadamente definitivos.

Não estranhamos de forma nenhuma o inesperado sucesso artístico da primeira exposição — a dos «clássicos» do nosso tempo — e o êxito particular das presenças de Hartung, de Bernard Buffet, de Poliakoff e de Vieira da Silva.

HARTUNG. Litografia n.º 107. 1963.

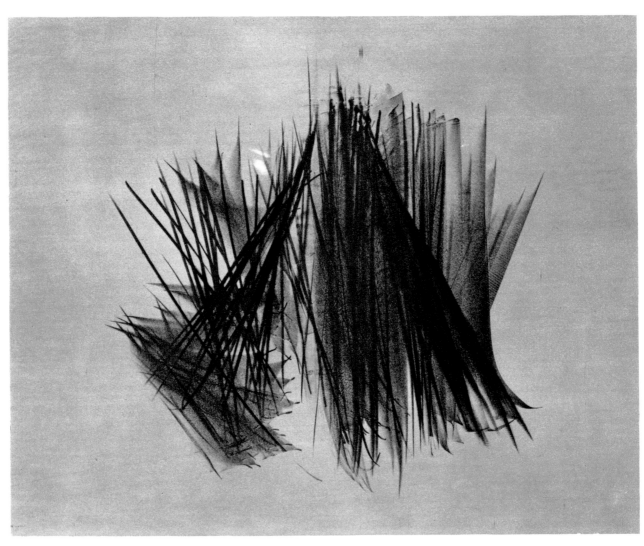

HARTUNG. Litografia n.º 115. 1963.

Se no caso da última artista um clima local contribuiu, iniludìvelmente, para a aceitação concreta do público — e pensamos exactamente em termos de compras de obras expostas —, o espanto diante das litografias e gravuras de Hartung, a surpresa ante a inegável beleza dos seus grafismos e do essencial da sua proposta — uma das mais sérias e profundas do nosso tem —, a curiosidade e adesão estatìsticamente significativas dos visitantes às litografias e gravuras de Bernard Buffet e a contemplação atenta da única litografia de Poliakoff nessa exposição apresentada entram no quadro geral de um interesse local pelos aspectos diversos e prioritàriamente fundamentais da arte contemporânea.

Ao programar-se uma panorâmica assente em duas exposições — uma de grandes nomes, em Novembro de 1970; outra de jovens valores, Março do corrente ano — pretendeu-se oferecer aos interessados e ao público de Lisboa em geral uma informação concreta, visual, do que de fundamental se tem feito e faz na capital francesa, ou do que em Paris se apresenta e expõe. O êxito evidente das mostras empreendidas, o manifesto interesse do público, especialmente jovem, que acorreu, regularmente, a qualquer das suas exposições, compensam-nos largamente dos esforços realizados para reunir tão importantes conjuntos e, também, do curioso silêncio de um largo sector da crítica local.

O que importa, sobretudo, é o haver-se trazido à capital portuguesa um necessário complemento de informação artística que terá, assim, coberto quase meio século de gravura e de litografia.

ANTÓNIO FERRÃO

CONSIDERAÇÕES
SOBRE A FUNÇÃO ACTUAL DA MÚSICA

VIVEMOS numa época medularmente complexa, e para isso, ainda que pareça paradoxal, muito tem contribuído o enorme desenvolvimento verificado nos campos científico e tecnológico. A importância revestida por ambos deve ser encarada, não apenas como dado imediato — possibilitando uma vida mais cómoda —, mas igualmente do ponto de vista mediato, pelas enormes transformações sociais e sociológicas que implica, acarretando mudanças, por vezes, radicais, de hábitos, quantos deles seculares!... Trata-se de modificar a forma de encarar os diferentes problemas. Isso impõe uma fundamental renovação de mentalidade, o que, por sua vez, pressupõe da parte de cada ser humano meticulosos e repetidos exames de consciência para ver em que medida ou aspecto os seus pontos de vista foram ultrapassados pelas exigências do momento presente e o que se torna necessário fazer para mitigar ou terminar com o consequente desajustamento, daí resultante.

Esta série de questões tem de ser tomada em consideração quando tratamos dos problemas científicos e artísticos, que apresentam, no nosso tempo, uma maior aproximação do que aquela que frequentemente se lhes atribuía, décadas atrás. Várias razões o poderão determinar: as de ordem técnica e as de ordem sociológica. Quanto às primeiras — e no que se refere ao domínio da Música — há a salientar a enorme ampliação de recursos sonoros dos instrumentos já conhecidos e há muito tempo adoptados e de outros que passaram a ser empregados, alargando, cada vez mais, os multifacetados meios de expressão.

Em relação ao campo social e sociológico é de referir a noção elementar de que a Arte, em qualquer das suas modalidades expressivas, deverá ser um reflexo do meio ambiente em que se processa, para que lhe possamos apontar o cunho de autenticidade, pois só assim será representativa da época e do local onde é produzida. Isto para além do fenómeno de criação, próprio de cada artista-autor, mas que substancialmente terá sempre em consideração o binómio tempo--lugar. Não nos esqueçamos de que uma obra de autêntico mérito antes de ser do domínio comum foi local ou regional, ainda que possuindo uma enorme carga de universalidade, que lhe possibilitou transpor os acanhados meios fronteiriços onde fora congeminada e concretizada.

Qual o motivo que nos levou a abordar o tema: «A Função Actual da Música»? Aquando do XIV e último Festival de Música Gulbenkian, foi incluído nas suas manifestações um colóquio versando «O Compositor, o Intérprete e o Público», organizado sob os auspícios do Conselho Internacional de Música. Este organismo promoveu a publicação de uma obra de Everett Hellen, que é a primeira de uma pretensa colecção futura, subordinada ao título genérico de: Música e Comunicação. O próprio autor referido colaborou no gizar das sessões que tiveram lugar na nossa capital.

Em linhas gerais tais trabalhos visam a expansão de problemas apresentados e desenvolvidos exaustivamente, bem como das respectivas conclusões finais, através de variados congressos e colóquios, que, durante muitos anos, têm sido realizados em diferentes paragens e sempre sob a égide da citada instituição. Dado o interesse de que tais questões se revestem, nos nossos dias — não só sob o ponto de vista musical, mas também no aspecto social e sociológico, em que todo o fenómeno artístico se deve inserir—, resolvemos abordar e desenvolver este tema aliciante e de flagrante importância sócio-artística, começando por transcrever passagens da Introdução ao referido colóquio, que faremos seguir ou entrecortar de comentários pessoais, tidos por oportunos.

Começa o supracitado documento por referir o seguinte: «Na sociedade actual, a função da música séria mudou de maneira radical, nos últimos anos. O intercâmbio entre compositor e público tornou-se mais ténue. Entraremos numa época de dois públicos — público *conservador* e público *d'avant-garde*?»

Essa mudança verificou-se como consequência das transformações sociológicas operadas, o que faz com que a Música não se limite, hoje em dia, a um mero papel de pura distracção, como sucedia outrora, encontrando-se inscrito esse problema em coordenadas mais vastas, relacionadas com o comportamento de cada indivíduo dentro do agregado social a que pertence.

A par de tal estado de coisas, a mesma realidade dinâmica da nossa época e as várias solicitações existentes impedem, frequentemente, uma salutar convivência entre o artista e o público, que, a existir, traria, com certeza, os melhores frutos, na medida em que contribuiria para um melhor conhecimento idiossincrásico por parte de ambos e dessa permuta poderiam advir maiores laços de compreensão mútua, que teriam, certamente, os mais positivos reflexos no esclarecimento do fenómeno artístico.

Por todas estas razões — a que haverá a acrescentar o factor fundamental das origens culturais herdadas por cada um, bem como a sua mentalidade dominada por uma evolução potencialmente maior ou menor — compreenderemos a existência de duas espécies distintas de público: o conservador — mais voltado para as obras e formas estéticas do passado — e o rotulado com o galicismo *d'avant-garde*, isto é, de vanguarda — aderindo directamente às inovações e inclinado para o futuro que as reflicta.

A estes haverá, necessàriamente, que acrescentar os espíritos que, pela sua formação e características próprias, revelem a possibilidade de conciliação entre as duas posições extremas, até para que seja permitido marcar o grau evolutivo ou de transitividade, verificado através das épocas. É esta a principal e espinhosa tarefa que terá de ser desempenhada, em plano elevado, pelo autêntico crítico, que deverá colocar-se numa posição tal que lhe permita analisar, o mais objectivamente possível, os fenómenos verificados no decorrer dos tempos, quantas vezes à custa de uma recusa sistemática de certas particularidades preferenciais. Seguem-se, no citado programa, referências ao «Novo Estatuto do Intérprete — artìsticamente com a Música Aleatória; social e econòmicamente, pelo desenvolvimento dos meios técnicos».

O problema aleatório, que inicialmente se referia a tudo o que estivesse sujeito às contingências do futuro ou fosse dependente de condições fortuitas, é hoje tratado numa dimensão mais ampla, que tem, através das diferentes modalidades artísticas, o meio de experiência laboratorial mais adequado. Pode conjugar-se directamente com a melhoria de recursos sonoros que lhe possibilitam uma forma de expressão mais rica, por via do referido desenvolvimento dos meios técnicos. No citado documento pergunta-se depois: «O Público, os Concertos e o Teatro Lírico poderão considerar-se formas antiquadas em 1970?»

A tal interrogação poderemos responder afirmativamente, se seguirmos um rumo vanguardista e considerarmos, portanto, que deverá dominar, na nossa época, a chamada «co-criação», que é lógico aplicar a todas as manifestações artísticas, se bem que a sua origem e até talvez o seu maior desenvolvimento tenha sido verificado através da linguagem teatral. Porém, neste aspecto da referida «co-criação» é de elementar necessidade encontrar pontos de contacto entre aquelas, pois isso se refere aos factores sociais que estarão na base de qualquer delas. Portanto, a separação nítida entre o espectador passivo e o concerto ou o teatro lírico que ante si decorrem, sem que ele, por essa razão, comparticipe na produção do fenómeno artístico, é algo que diz respeito ao passado e que, actualmente, apenas poderá ser referido como reconstituição histórica.

São expostas, em seguida, com carácter interrogativo, oito questões, referentes ao «Compositor no Mundo de Hoje», que passamos a transcrever:

— Em que medida se interessará o compositor em comunicar com o público? Poderá, impunemente, ignorar este público e escrever apenas para os iniciados?

— A Música Moderna será uma *expressão da época*? O emprego de instrumentos modernos constituirá garantia de que a música seja moderna? Sob o ponto de vista artístico será sensato que um compositor se esforce conscientemente para ser *moderno,* introduzindo ruídos, etc.?

— Em que medida será o compositor um ser *social*, em que medida será um ser *artístico?* Poderá misturar-se a política com a arte? O compositor *engagé.*

— Como vivem os compositores? Será bom ou mau que ganhem a sua vida noutras actividades?

— Fontes de rendimento: ensino, conferências, direitos de autor, encomendas, prémios e bolsas, diversos?

— Sociedades de compositores.

— Festivais de Música Moderna.

— Mudanças provocadas pelos *media.*

Quanto ao primeiro ponto, se não há dúvida de que o compositor deverá produzir cada obra como imperativo da sua condição de artista criador, que, por isso, tem necessidade de transmitir a sua mensagem, o certo é que a mesma deverá também destinar-se a outrem — que a capte e analise —, sem o que o autor não será actuante, ficando assim fortemente comprometida a sua primordial função social. Porém, o ouvinte deverá tomar uma posição favorável ou desfavorável, após a audição racional e tanto quanto possível analítica de uma obra, sem o que se não estabelece a indispensável comunhão do binómio artista-público, ausência essa absolutamente inadmissível. Isso pressupõe que o tal público, constituído por verdadeiros amadores de música, se prepare para as diferentes audições. Desta forma teremos sempre auditores com uma base mínima de esclarecimentos.

A Música Moderna, para merecer tal denominação, terá de ser «uma expressão da época». Porém, esta poderá ser entendida quanto a duas espécies de coordenadas: as referentes ao conteúdo da obra ou as respeitantes aos seus meios de tradução sonora. Contudo, na nossa opinião, uma produção só será realmente válida, como expressão de uma época, quando conseguir conciliar, a um nível semelhante, os elementos conteúdo--forma. Ser moderno significa, em primeiro lugar, identificar-se com os problemas do seu tempo e, em consequência disso, usar a tal linguagem tímbrica, cada vez mais enriquecida, mas totalmente ajustada à tradução do contexto desenvolvido pelo artista-criador. Com efeito, a característica de modernidade nunca poderá ser empregada como sinónimo de arbitrariedade!

A seguir, consideramos que todo o ser humano está integrado num meio ou agregado populacional, sendo, consequentemente, um ser social. Como poderíamos, então, admitir que o compositor, à semelhança de qualquer outro artista-criador, não o estivesse também? — ainda que, muitas vezes, pareça um «ser à parte». Simplesmente, o que se passa é a possibilidade de, graças ao seu talento —quando este existe, na verdade—, poder vir a contribuir para uma possível e futura transformação social ou servir-lhe de elemento catalisador, dadas as inovações por ele enunciadas através da sua linguagem própria, mas partindo sempre dos dados de uma realidade de espaço e tempo.

No respeitante ao pormenor de ser lógico ou não misturar a Política com a Arte, devemos começar por atentar na origem da palavra, derivada do grego «polites», isto é, cidade (cidadão). Em face de tal facto, parece-nos que jamais poderá ser posta uma tal questão, dada a evidência de que este pormenor se reveste. Quanto ao compositor *engagé* ou comprometido, trata-se de uma deplorável limitação do génio do artista e da sua liberdade de criar, que é inerente a tal função —ainda que possa ter várias causas—, mas em qualquer dos casos essa situação é sempre discutível!

O nível de vida dos compositores estará natural e directamente ligado ao maior ou menor desenvolvimento do meio social que habitam. Quanto à sua dispersão por outras tarefas, essa prática apresenta alguns inconvenientes, mas também certas vantagens: os primeiros dizem respeito ao facto de — sendo a tarefa criadora muito absorvente — os desvios que a mesma sofra poderem vir a afectá-la directamente, na sua produção, enquanto as segundas se referem aos elementos que o artista poderá colher, em outros meios, desde o momento que dos mesmos saiba tirar o devido partido. Todavia,

Pierre Schaeffer, nascido em Nancy (1910), diplomado em engenharia, escritor, músico e estudioso dos problemas filosóficos, foi um dos primeiros compositores a dedicar-se à chamada «música concreta».

quaisquer das fontes de rendimento apontadas nos respectivos tópicos têm razão de ser, devendo depender apenas a sua aplicação dos diferentes casos apresentados.

Antevê-se a necessidade da existência de Sociedades de Compositores para a preciosa troca de pontos de vista dos seus componentes e até para a defesa dos seus problemas, num plano internacional.

Outro aspecto fundamental, focado nas respectivas sessões, liga-se à realização de festivais de música moderna, o que se deve operar em qualidade e quantidade sempre crescentes.

As mudanças provocadas pelos «media» podem ser entendidas como a influência exercida pela sociedade ou o meio ambiente.

Seguem-se os sete pontos propostos ao colóquio, quanto ao intérprete:

— Descoberta e encorajamento de novos talentos: escolas e conservatórios, bolsas, concursos.

— Formação de jovens intérpretes: educação liberal oposta à educação especializada; formação especial de músicos de orquestra.

— Perigo de desequilíbrio: demasiados intérpretes ou possibilidades demasiado restritas em alguns casos.

— A atracção da capital em detrimento da província.

— A música pelos amadores: instrumental e coral.

— O intérprete e os *intermediários:* agentes de concertos, *managers*, empresários, directores de radiodifusão e televisão, etc.

— Efeitos dos *media* sobre os intérpretes.

Para a descoberta e o encorajamento de novos talentos é mister existir um firme interesse e uma apreciável largueza de vistas por parte dos responsáveis, possibilitando-lhes depois, através dos meios referidos, o necessário apoio para o desenvolvimento de todas as suas potencialidades. Impõe-se até a constituição de comissões nacionais, formadas por pessoas idóneas, para percorrer cada país com tal finalidade.

Sobre a formação dos jovens intérpretes é basilar a existência de uma cultura geral —com a melhor concatenação possível das diferentes matérias— que preceda a formação especial do músico-intérprete e, neste particular, tanto o de orquestra como o que se destina à carreira de concertista.

A possibilidade de vir a haver demasiado número de intérpretes num acanhado meio pode atingir graves consequências, pelo que é de primordial importância um estudo-base de carácter sociológico e a aplicação respectiva das medidas tendentes a evitar esse estado de coisas, bem como o da atracção que cada capital exerce no espírito daqueles, em detrimento das regiões de província, nas quais é preciso melhorar as condições de trabalho que se lhes oferece.

Impõem-se todas as facilidades e o estímulo constante para a prática musical, mesmo em regime amador, o que deverá começar nos bancos da escola pré-primária ou infantil e continuar sempre progressivamente.

Uma questão muito melindrosa diz respeito às relações entre os intérpretes e o conjunto variado de «intermediários» em que todos os referidos nos citados tópicos se apresentam de enorme importância, impondo-se-lhes não só o conhecimento das suas funções especiais como a indispensável imparcialidade na escolha daqueles que, conscientemente, devam ser tidos por músicos mais dotados, não se devendo esquecer, em relação à categoria dos intérpretes, os efeitos dos *media* já observados quanto aos compositores.

Chegamos, por fim, aos domínios do público, tendo sido abordados e desenvolvidos seis temas:

— Patrocínio e financiamento: nacional, privado e misto.
— Festivais.
— Método de selecção e ampliação do auditório.
— Papel de crítico.
— *Educação* do público, particularmente em relação à música moderna.
— Educação musical, chave do futuro.

O patrocínio das realizações musicais deverá caber a todas as entidades votadas a semelhante causa, tanto às de carácter nacional (oficial), como às de índole privada e revestindo quer a faceta de simples realizações dispersas, quer a de festivais. Estes podem compreender um conjunto de géneros, numa temporada determinada, ou, então, subdividir-se em diferentes temporadas, cada uma delas destinada a um subgénero definido, com vários ciclos de sessões.

A preparação dos auditórios deverá ser feita tanto pelas sociedades de concertos e associações afins —através de obras apresentadas e de conferências, e colóquios sobre os respectivos programas, correntes estéticas e seus principais cultores e representantes— como pelas publicações diárias e periódicas —pois todas elas deverão dispor de secções, onde tais problemas sejam debatidos e o público, duma maneira geral, possa e deva ser elucidado— e ainda pela rádio e a televisão.

O papel desempenhado pelos críticos da especialidade é de primordial importância, até mesmo pelo trabalho de divulgação, através de notas explicativas, precedendo a apresentação de composições de música moderna, dentro de um plano de «Educação do Público».

O alargamento da educação musical deverá verificar-se a todos os níveis, com vista a uma cada vez maior penetração no domínio dos trabalhos produzidos em diferentes épocas, mas, muito principalmente, no que concerne às produções do nosso tempo, nos diferentes rumos que a Arte dos Sons tem trilhado, e à sua projecção para o futuro.

Eis, pois, o registo de alguns pontos que têm de merecer a nossa melhor atenção sempre que nos debruçarmos sobre o complexo problema da Sociologia da Música.

Iannis Xenakis, grego nascido na Roménia, arquitecto, músico, matemático: «... eu desejo que a minha música suscite o entusiasmo sentido de «comunicação com a divindade».

O ASSALTO

— Águia! Águia! Aqui, Lança 3...

A voz metálica encontrou um silêncio denso como terra, silêncio dorido que se prolongou como um pesadelo enorme, infindável.

Deitados, agarrados ao terreno como lapas, os homens espreitavam tudo em redor: o olhar varria o capim, trepava as palmeiras, subia ao céu. Donde partiria a primeira rajada nervosa? Onde se escondiam os bandidos? Só o diabo saberia. E como aquela manhã lhes correra mal! Deviam andar rugindo como onças velhas e, por isso, de quando em vez, um tiro ao acaso picava o silêncio da selva.

— Águia! Águia! Aqui, Lança 3...

Mas seria possível que o piloto não ouvisse o seu posto de rádio? Teriam de ficar ali mesmo, quietos como coelhos, sem um pensamento audaz, sem tentar sair daquele labirinto verde e agressivo? Não, eles que riram e choraram, lançando pragas e gritos de guerra, por entre o rugir raivoso das balas ao rés do peito, olhar sempre lançado teimosamente para a frente, indiferentes à barreira de aço, sim, eles que cantaram, riram e choraram, não poderiam ficar ali amarrados ao monstro verde da selva. Tinham de abrir caminho, custasse o que custasse, depois de encontrada a direcção sul. «Enquanto havia vida havia esperança», pensavam. E, para mais, tinham um rádio nas mãos. Não, eles que não temeram correr a peito descoberto contra o inimigo, não podiam ter já medo de nada. E, embora o pequeno Margaça se queixasse do rasgão que um estilhaço lhe abrira na coxa e que ele já ligara com uma tira de camuflado que arrancara ao dólman com a ponta da faca de mato, o caso não era para amedrontar. Não, eles já não podiam ter medo, já que não tiveram medo da morte, correndo a peito feito, entre chicotadas de aço e o ribombar medonho de granadas explodindo, rasgando.

— Fuso! Fuso! Aqui, Lança 3...

Novo calafrio. Ninguém os ouvia. Nem o céu nem a terra. E eles ali perdidos em busca de um ponto de referência. A companhia de António Mestre já estaria longe, pois o rádio nada captava.

Ah, como a guerra ali era diferente das histórias de rixas que António Mestre sempre ouvira contar ao avô, que usava navalha de ponta e mola no bolso do colete e que corria gândaras e feiras abordoado a rijo e pesado marmeleiro, com o qual era capaz de segurar, à primeira, salteador, carteirista ou cigano. Que raiva tinha o avô de António Mestre aos salteadores de feiras ou gândaras! Que raiva tinha o avô à gente que mudava os marcos das courelas pela calada da noite! Sempre que ele ouvia falar nessa corja de malandrins, via-o cuspir de asco uma ou duas vezes ao mesmo tempo que dizia: «Mas comigo não tinham sorte. Assentava-lhes bem o marmeleiro no lombo. Não posso ver ladrões à minha frente.» E no dia da despedida: «Honra tu, rapaz, a tua farda, a tua arma, como eu sempre honrei este marmeleiro. Se fores como eu de boa cepa, não haverá bandido algum que te cuspa na cara ou ria nas tuas costas, ouviste?» O avô era sapateiro e, como todos os sapateiros, era alegre. Homem capaz de arrancar a camisa e dá-la a um pobre que lhe batesse à porta. Mas, se o picavam injustamente, o mundo tremia todo sob a alçada do marmeleiro. Ah, que se o avô ali estivesse, não havia deixar de zurzir o rijo e pesado marmeleiro de três mossas na ponta no lombo dos bandidos que roubavam crianças, mulheres, incendiavam tabancas e descabeçavam bajudas. Não queriam, afinal, os bandidos mudar também os marcos da Pátria, mutilá-la nas suas fronteiras? Essa missão coubera a ele, António Mestre, a ele e a todos os que andavam nas fronteiras do fogo comendo pó de léguas e léguas, bebendo veneno nos pântanos, compartilhando da mesma manta e do mesmo leito incómodo, mas sempre agigantados na luta, sem quebra de ânimo. Quantas vezes correra ele, peito feito, para o inimigo, desatando gargalhadas e gritos índios, entre girândolas macabras de granadas e balas furando o capim e até a farda, sim, senhor, sangrando os arbustos, as palmeiras?! Ainda há bem poucos minutos cantara e rira, a correr, de arma aperrada ao quadril, vomitando fogo e raiva.

— Águia! Águia! Aqui, Lança 3...

Novo arrepio a percorrer a espinha. Só um tiro, de quando em quando, cortando o silêncio, ou o chiar de alguma cobra.

Como aquilo, de facto, era tão diferente do brincar às guerras pelos caminhos da aldeia ou no pátio da escola e até na tapada de Mafra! Ali ninguém podia fitar o inimigo de frente, que ele batia e fugia, ninguém podia traçar uma cruz no chão e cuspir-lhe em jacto uma ou duas vezes e lançar o ultimato: «Salta para aqui, anda, salta, se és capaz!», «Salta para aqui, que te estraçalho todo, meu cara de cavalo!» Isso fazia ele em menino, menino de aldeia. E, quantas vezes, o Artur lhe saltava ao caminho, empunhando o toco dum pau e gritando: «Rende-te, Mestre, rende-te, senão mato-te!»

Ah, render-se àquele monstro verde da selva e acabrunhar-se como mulher, isso é que não! Para quê, se eles já nem sabiam o que era medo? Nem que tivessem de sair de rastos. Tinham de libertar-se, a não ser que os bandidos lhes viessem farejar o caminho. E eles haviam de andar com um verdete dos diabos! E se viessem? Não ficariam muito direitos, disso tinham a certeza. Não eram muitos, mas sempre eram três magriços. E havia rádio e tinham o avião.

«Salta para aqui, anda, salta, se és capaz...» Ali a táctica era atacar sempre, fosse qual fosse o desafio dos terroristas. Parar a olhar o inimigo era ceder pontos, perder trunfos. Dar-lhes para baixo — era a ordem de todos os dias. Dar-lhes para baixo... E companhia que se prezasse não os deixava pôr pé em ramo verde, tal qual o avô fazia aos mudadores de marcos, ia acordá-los a todos os fojos. E a companhia de António Mestre nunca temera desafios e carregava sempre furiosamente. Por isso, naquela manhã haviam ido a Cambajo, donde partiam os grupos que flagelavam a zona, montando emboscadas junto à bolanha, semeando minas e armadilhas pelos caminhos na época das chuvas, intimidando os fulas das redondezas. E até ao objectivo, nada de especial: uma noite escura, quase dantesca, granadas nos bolsos à mistura com pão e latas de marmelada, grunhidos de macacos à passagem... Mas ao amanhecer...

— Águia! Águia! Aqui, Lança 3...

Nada de novo. Apenas o roncar de um T6 e bandos de aves sacudindo a selva.

Mas ao amanhecer...

Em menos de um ámen pagão, rebentou feroz fuzilaria à boca das casas de mato de Cambajo. Estavam desencabrestados, furiosos, como nunca. Isso que importava? Não estava ali a companhia de António Mestre, que corria, de peito feito e às gargalhadas, contra o inimigo? As armas faiscavam pirilampos de fogo devastador e ele metralhava furiosamente, precisamente do lado sul, alma arrepanhada, dedos acesos em fúria incontida. Debatia-se como um possesso, chamando a si todas as forças possíveis, lembrando, de fugida, o rijo e pesado marmeleiro do avô. Duas armas visavam especialmente a sua posição, raivosamente, em golfadas de aço, compacto, sem quebra do ritmo arrepiante.

As casas de mato de Cambajo, onde rebentavam granadas incendiárias, começavam a arder. Eram grandes e no centro havia uma parada para instrução e reuniões, batuques e folias, que lá estavam bombolons e um bombo de pele de boi. Na secretaria, ou espécie, ardiam rimas de papel e a máquina de escrever explodia. Não ditava mais sinistras sentenças. Longas casernas, cheias de camas com mosquiteiros, esplanadas com mesas toscas, a alfaiataria... tudo era devorado pelas chamas que subiam já as palmeiras mais altas.

António Mestre queimava as mãos e dava à terra bagoadas de suor. Parecia arder em febre, em ódio. Aqueles bandidos! Mas por ali é que a linha não quebrava. A tropa que, entretanto, começava a enervar-se, tentava silenciar os ladrões de gado, mulheres e crianças, mas eles, cada vez mais foitos, mais raivosos! De repente, dum pulo simiesco, voltou-se. Um negro, matulão, rastejava, olhos ardendo fogo e sangue, acobertado pelos morros de baga-baga. Mas ele, firmando bem a arma no ombro dorido, abateu-o com uma rajada seca de três tiros na fronte. O grande estupor! Não estivesse ele atento e não teria dado pela tramóia. Já estaria varado, tripas ao sol, que eram uns selvagens esses bandidos que roubavam crianças e descabeçavam bajudas. Até o Nino, chefe perigoso dos matos do sul, arrebanhava virgens para a sua esteira. António Mestre suava, metia carregadores. As outras posições não eram menos assediadas. Os ladrões não desistiam e, quanto mais as chamas subiam, mais raivosos estavam eles. E assim por muito tempo. Entretanto, o flanco direito onde se batia com a sua esquadra, agigantando-se no arremessar raivoso da morte, estava sèriamente ameaçado. Ali só havia uma solução: o assalto.

— Águia! Águia! Aqui, Lança 3...

O T6 sobrevoava as lalas imensas. Não voltaria a fazer reconhecimento sobre Cambajo?

O assalto... Ao assobio do capitão, arrancaram-se todos à uma, como se fossem um único homem audaz, dentes nas cavilhas das granadas, uns, armas fixas aos quadris, outros, e todos aos gritos, avançando sobre o braseiro e as cinzas das casas de mato de Cambajo. As explosões atroavam os ares sinistramente. O céu parecia tremer. As balas assobiavam ao rés do peito, furavam o capim e as fardas, sangravam as palmeiras, partiam ramos, arrancavam pedaços de terra aos pés dos «camaleões», grupo de comandos da companhia. A corrida acelerava. Nada havia que fizesse deter aquele punhado de homens. Já não havia medo nem nervos, nem tão-pouco cansaço. Parece que as forças se haviam concentrado para o arranque final. A rir é que eles não haviam de ficar, os bandidos! Para baixo, dar-lhes no lombo para baixo é que era.

Gritos de raiva, gritos índios, frases soltas: «Esperem aí que já levam para o tabaco!», «Não fujam, camelos dum raio!», «Eeeeh!...» «Uuuh!...» E António Mestre atirando para a frente a sua esquadra, ora com gritos índios, ora cantando... Era um vulcão de raiva e fogo a sua esquadra, que só parou quando deixou de ouvir qualquer disparo ali perto. Tudo se calara já: as pistolas de tambor de cantar fino e nervoso, as «simonov», as granadas e a metralhadora pesada. Tinha sido tudo varrido. Tinham-lhes feito comer lume, como os terroristas nunca haviam pensado. E, por isso, embriagados na luta, ficaram para trás...

— Águia! Águia! Aqui, Lança 3...

O avião roçava as copas das palmeiras. Seriam ouvidos naquele momento?

Finalmente, os homens sorriram, olhando-se satisfeitos, como se tivessem descoberto uma face nova do mundo, e o Margaça colou bem o ouvido ao auscultador, como se ainda não acreditasse, e ouviu:

— Lança 3! Lança 3! Aqui, Águia... Águia chama...

— Aqui, Lança 3... Estou perdido e peço me oriente para a lala.

— OK!, OK!... Se tiver uma granada de fumos, lance-a quando eu estiver ligeiramente sobre o local.

— Correcto, Águia...

António Mestre puxou duma granada de fumos, mas tremia, como não tremeu no assalto. E pensava se não seria denunciar a posição ao inimigo. E que fariam três homens sòzinhos e com meia dúzia de carregadores? Mas era preciso tentar a sorte. Fosse tudo por Deus. Deus livrasse aqueles três magriços das garras dos bandidos!

— Águia! Águia! Aqui, Lança 3... Agora... agora...
— E António Mestre, arrancando a cavilha com os dentes que estalavam sempre gargalhadas contra o inimigo, arremessou a granada para longe.

— Lança, Lança 3! Vou picar... Sigam a minha direcção. Daqui à orla da mata serão uns trezentos metros. — E o T6 ia e vinha, continuadas vezes.

Tinham, porém, andado uns escassos cinquenta metros, que a mata era densa que só visto, enxergaram alguns bandidos de armas nas mãos e farejando. Como escaparam aqueles? Eles eram sempre mais do que as mães, esses bandidos. O sangue sumiu-se-lhes e, como condenados, esconderam-se o melhor possível. Cronometraram o tempo gasto em cada ida e vinda: 40, 60, 80 segundos. E cronometraram o seu tempo de esperança.

— Águia! Águia!... Inimigo à vista...

Três magriços: António Mestre, a trave dum homem, cabo que merecia as esporas de ouro, aguerrido que era, estalando gargalhadas longas e atirando ao vento gritos índios, a correr para o inimigo; Margaça, pequeno, que mal chegara ao estalão, mas voluntarioso, cerne de pinheiro nunca sangrado, da Beira, como António Mestre; e Bigas, um tudo-nada malfeito e de poucas palavras, alentejano de boa fibra que sempre cantava nas horas vagas, quando as havia.

Os três homens olharam-se mùtuamente como se cada um tivesse alguma coisa a dizer. Os nervos explodiam. Os músculos dorsais escorriam suores. Os olhos dos negros brilhavam entre o capim, faiscando como olhos de cães em noite escura. Eram lâmina glacial atirada ao peito dos três magriços. Apeteceu-lhes fazer pontaria. Certeira. Levaram mesmo a arma à cara, mas, num instante, como que electrizados por uma ideia mais acertada, baixaram as G3. Os bandidos voltavam costas. E pensavam que, se ali houvesse mais dois homens, seria um para cada um. Uma descarga seca, brutal e pronto! Nem piavam. Seria uma boa caçada, não haja dúvida... É certo que três tiros seriam outros tantos mortos naquela vereda e, com um pouco mais de sorte e calma, os restantes também ficariam ali. Que raio, não eram nenhuns «maçaricos»! Tinham calo e já andado léguas e léguas de selva e bolanha, de língua encorticada na boca. Talvez, ao primeiro disparo, apanhados de surpresa, fugissem mesmo, olhos imbecilizados, como macacos fulas através do capim, que eles quando viam sangue, fugiam, fugiam... Mas não haveria por ali mais bandidos? Eles haviam de andar desorientados, malucando como é que a tropa poderia ter assaltado as casas de mato de Cambajo. Ah, como fora?! Olhos atirados para a frente, correndo de peito feito e a cantar... correndo entre girândolas de granadas explodindo e balas roçando o corpo, correndo... e nem a metralhadora pesada com a sua voz autoritária e sinistra os conseguira deter.

Os magriços recuavam de gatas, levantando sucessivas vezes as cabeças, para não bulirem com as lianas e arbustos.

De repente, um bando de aves upou do capim, grasnando, e buliu com a selva e os nervos. E os soldados gelaram, deixando-se cair de bruços. E, rodando meia volta, ficaram deitados a espreitar os bandidos que dançaricavam dum lado para o outro, vasculhando tudo.

António Mestre, o menino de aldeia, que estalava gargalhadas de raiva e gritos índios, António Mestre e os companheiros, o Margaça e o Bigas, ficaram atónitos, enxutos, sem palavra, interrogando-se apenas no olhar febril. Seria aquela a sua hora? Não, não podia ser que eles morressem ali ingloriamente, como macacos, eles que cantaram, arremetendo, de peito feito, contra os bandidos de Cambajo. Tinham de arranjar uma saída, custasse o que custasse. Medo não sentiam. Como haver medo se correram tanto como possessos, impelidos pela pólvora? Meteram de novo a arma à cara, numa posição firme e decidida, e rodaram a patilha para rajada, como que comandados por voz estranha e longínqua. «Honra tu, rapaz, a tua arma, como eu sempre honrei este marmeleiro...» — pensava António Mestre. Se eles viessem ao seu encontro, tinham de ser rápidos e certeiros, seguros no empreendimento. Se eles viessem, estavam tramados. Talvez fossem feitos em trampa... quando estivessem a poucos passos. E, depois, livres, seguiriam, de novo, a direcção do avião, que voluteava sobre a selva. E já nenhum deles sabia se era preferível estoirar-lhes os miolos ali mesmo ou deixá-los ir embora. Quietos, como coelhos descobertos, parecia-lhes que tinham passado horas e horas sob aquele olhar felino, nervos em franja, coração liquefeito.

Os terroristas vasculhavam, espavoridos, o terreno em volta, apontaram mesmo na sua direcção, ainda que vagamente. Denunciara-os qualquer ruído metálico dos cantis ou armas? Deitados, não se ouvia a respiração. Longe chiava uma cobra e cantavam nas palmeiras nuvens de pássaros. E eles tremiam dos pés à cabeça. E o pensamento dizia-lhes: «Ai se fôssemos cinco... palavra, seriam uma vez uns bandidos de Cambajo!» E uma voz segredava na pele ensuarada de António Mestre: «Assenta-lhes bem o marmeleiro no lombo, atira-lhes para baixo, honra a tua farda...» Não seria melhor acabar de vez com aquilo? Estavam, certamente, a perder tempo. A paciência já não dava para tanto. Afinal, estavam a jogar às escondidas.

Os bandidos enfiaram pela vereda, apalpando o terreno, orelhas erguidas, devagar. Um... dois... cinco. Cinco ao todo. Tinha de ser naquele momento. O elemento surpresa ainda lhes pertencia. Respiração apagada, um rápido pensamento em Deus, enfiaram os bandidos no ponto de mira. Teriam eles medo? Medo já não tinham, apenas cansaço, nervos esfrangalhados. E cantou uma rajada longa e fatal. E o silêncio que se seguiu, encrespado e denso, ouviu por segundos a inevitável gargalhada de António Mestre e o roncar do T6 que continuava a indicar-lhes, a meia dúzia de passos, a lala imensa e encarquilhada, a sul.

Ilustrações de CID

DOCUMENTÁRIO GRÁFICO DA VIDA PORTUGUESA

JANEIRO

1 ✳ *Dia 1:* O Senhor Presidente da República, no dia de Ano Novo, como é tradicional, dirigiu uma mensagem a todos os portugueses.

2 O Presidente do Conselho foi recebido pelo Chefe do Estado, a quem apresentou saudações pessoais e as do Governo.

```
    1
 2 . 3
 4 . 5
    6
```

3 Seguidamente, acompanhado pelo Chefe do Governo, o Senhor Presidente da República recebeu cumprimentos dos Presidentes da Assemlbleia Nacional e da Câmara Corporativa, do Vice-Presidente do Supremo Tribunal de Justiça e do Presidente da Câmara Municipal de Lisboa;

4 Bem como dos Ministros e dos Altos Comandos dos três ramos das Forças Armadas;

5 E dos Chanceleres das Ordens Honoríficas.

6 ✳ *Dia 3:* O Senhor Almirante Américo Thomaz, acompanhado de Sua Esposa e filha D. Natália, visitou o Lar da Parede (dos antigos combatentes do Ultramar), onde foi saudado pelo Brigadeiro Ricardo Horta, Presidente da Cruz Vermelha Portuguesa.

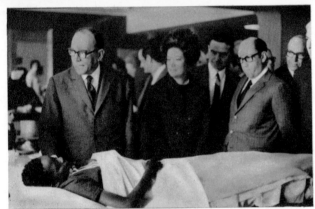

7 ✳ *Dia 4:* O Chefe do Estado inaugurou, no Teatro Nacional de S. Carlos, a exposição «Trinta Anos de Teatro».

8 O Prof. Doutor Marcello Caetano recebeu os dirigentes da Casa dos Portugueses em Madrid, que foram agradecer-lhe a visita inaugural que efectuou às suas instalações quando se deslocou oficialmente à capital espanhola.

9 ✳ *Dia 6:* O Chefe do Estado recebeu, no Palácio Nacional de Belém, o primeiro Embaixador da Austrália em Lisboa, que lhe fez entrega das suas credenciais.

10 Na tradicional reunião anual com os representantes dos Órgãos da Informação, a Lisnave anunciou para Junho próximo a entrada ao serviço de uma doca seca para navios de 1 milhão de toneladas de porte.

11 ✳ *Dia 14:* O Ministro das Corporações, durante a visita que efectuou ao Centro de Medicina Física e de Reabilitação de Alcoitão, anunciou novas regalias para os beneficiários da Previdência.

12 ✳ *Dia 16:* O Ministro da Educação Nacional apresentou ao País as Linhas Gerais da Reforma do Ensino.

13 ✳ *Dia 18:* Pelos Secretários de Estado da Agricultura e do Trabalho e Previdência foi assinado um protocolo de cooperação sobre formação profissional agrícola.

14 ✳ *Dia 19:* O Ministro das Corporações e da Saúde e Assistência inaugurou dois novos postos clínicos da Previdência, tendo na oportunidadede usado da palavra o Secretário de Estado da Saúde.

7.8
9.10
11
12
13.14

15 * *Dia 22:* O Ministro dos Negócios Estrangeiros, que se deslocou a Paris a convite do Governo francês, concedeu naquela capital uma conferência de Imprensa.

16 * *Dia 16:* O Secretário de Estado da Informação e Turismo inaugurou, no Palácio Foz, o Salão Nacional de Filatelia.

17 * *Dia 25:* O Subsecretário de Estado do Planeamento Económico empossou o Eng.º Manuel Engrácia Carrilho no cargo de Presidente da Comissão do Planeamento da Região Centro.

18 * *Dia 28:* O núcleo feminino da Comissão do Conselho de Lisboa da A.N.P. realizou um colóquio onde foi afirmado o valor da mulher na política da Nação.

FEVEREIRO

19 * *Dia 3:* O Chefe do Estado impôs as insígnias da Grã-Cruz da Ordem Militar de Cristo ao Ministro das Finanças e da Economia.

20 O Presidente do Conselho recebeu o Arquiduque Otão de Habsburgo, que esteve de visita ao nosso País.

21 O Director da Casa de Portugal em Paris falou, no Palácio Foz, sobre o mercado turístico francês.

22 * *Dia 4:* O Ministro da Educação Nacional recebeu o Presidente do Sindicato dos Jornalistas, que lhe fez entrega do «Projecto de Ensino de Jornalistas em Portugal».

15 . 16
17
18
19
20 . 21 . 22

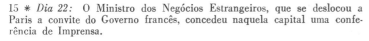

23 * *Dia 8:* O Ministro do Interior conferiu posse ao novo Governador Civil de Viseu.

24 O Ministro da Educação durante a sessão plenária da Junta Nacional da Educação entregou oficialmente os textos, já divulgados, do projecto do Sistema Escolar e das Linhas Gerais de Reforma do Ensino Superior.

25 O Ministro da Marinha recebeu os fuzileiros navais galardoados com o Prémio Governador da Guiné.

26 Na Sociedade de Língua Portuguesa, o Dr. João Salvado proferiu uma conferência sobre a importância dos mosaicos no estudo da Arte Bizantina.

27 * *Dia 12:* Navios da Armada francesa chegaram ao Tejo para exercícios conjuntos, no âmbito da OTAN, ao largo do Atlântico.

28 * *Dia 14:* O Subsecretário de Estado da Juventude e Desportos presidiu à cerimónia da entrega de 15 «snipes» a diversos clubes e centros de vela.

29 * *Dia 15:* O Chefe do Estado impôs as insígnias do grande oficialato da Ordem do Infante D. Henrique a Pedro Correia Marques — «que tem já de jornalismo sessenta anos».

30 O Presidente do Conselho, fez mais uma das suas habituais «Conversas em Família».

23
24
25
26 . 27
28 . 29 . 30

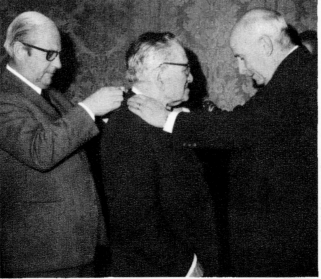

31 . 32 . 33
34 . 35
36 . 37
38

31 ∗ *Dia 16:* O Chefe do Estado visitou a Fábrica Nacional de Cordoaria.

32 ∗ *Dia 17:* Marinheiros sul-africanos da fragata «Presidente Kruger» depositaram flores no Monumento das Descobertas, em memória dos navegadores portugueses.

33 No Palácio Foz, foram distribuídos os prémios do I Grande Torneio Nacional das Barragens em Motonáutica.

34 ∗ *Dia 19:* O Secretário de Estado do Trabalho e Previdência presidiu à cerimónia da assituatura do novo contrato de trabalho para os operários da Siderurgia.

35 ∗ *Dia 23:* O Presidente do Conselho partiu para Cabo Verde, onde se deslocou para se inteirar dos problemas pertinentes àquela província ultramarina e onde foi carinhosamente recebido pelas populações.

36 ∗ *Dia 26:* O Chefe do Estado recebeu, no Palácio Nacional de Belém, o novo Embaixador da Alemanha Federal em Lisboa, que lhe fez entrega das suas credenciais.

37 E a deputação da Venerável Corporação dos Jardineiros de Londres, de visita ao nosso País, que lhe fez entrega do diploma de membro honorário daquela centenária corporação.

38 ∗ *Dia 28:* O Chefe do Estado visitou, durante uma viagem particular ao Algarve, alguns empreendimentos turísticos, já em funcionamento ou em construção.

39 . 40
41

MARÇO

39 * *Dia 1:* Foram eleitas a Rainha e as duas Princesas do Turismo 1971.

40 * *Dia 3:* O Ministro das Obras Públicas visitou os trabalhos em curso em Paço de Arcos para a construção da Escola de Oficiais da Marinha Mercante.

41 O Colégio Militar comemorou os seus 168 anos de existência, desfilando garbosamente frente ao Mosteiro dos Jerónimos.

42 * *Dia 4:* Início da Volta a Portugal em automóvel, em que participaram 38 concorrentes.

43 * *Dia 10:* O Chefe do Estado visitou o mineraleiro «Cassinga», construído na Polónia para a Companhia Nacional de Navegação.

44 O Chefe do Estado recebeu os vereadores da Câmara Municipal de Lourenço Marques, que vieram solicitar-lhe para presidir à Comissão de Honra do Colóquio dos Municípios.

45 * *Dia 17:* O Presidente do Conselho recebeu os deputados alemães que estiveram de visita ao nosso País.

46 O Ministro das Corporações e Previdência Social entregou ao Dr. Augusto de Castro a Medalha de Ouro da Corporação da Imprensa e Artes Gráficas.

42 . 43
44 . 45 . 46

47 . 48
49
50 . 51
52 . 53

47 ✳ *Dia 19:* O Chefe do Estado inaugurou, na F. I. L., o certame internacional «Nauticampo-V».

48 O General Kaúlza de Arriaga expôs ao País, através da TV, a situação militar de Moçambique.

49 ✳ *Dia 20:* O Chefe do Estado deslocou-se a Castelo Branco para presidir ao início das comemorações do bicentenário daquela cidade e inaugurar o Museu Regional Francisco Tavares Proença Júnior.

50 ✳ *Dia 22:* O Secretário de Estado da Informação e Turismo assistiu à inauguração da exposição de fotografias de Gyenes sobre «Teatros Nacionais», primeira manifestação da Semana Espanhola em Lisboa.

51 ✳ *Dia 24:* O Chefe do Estado ofereceu, no Palácio Nacional de Belém, um almoço em honra do Governador de S. Tomé e Príncipe, no qual participaram o Ministro do Ultramar e o Secretário de Estado da Informação e Turismo.

52 ✳ *Dia 25:* Integrado no programa da Semana Espanhola em Lisboa, realizou-se no Tivoli o espectáculo «Antologia de la Zarzuela».

53 ✳ *Dia 27:* O Chefe do Estado, com o Ministro espanhol Sanchez Bella, que esteve no nosso País para participar na I Semana Espanhola em Lisboa, nas exposições inauguradas na Fundação Gulbenkian.

54 . 55
56
57
58
59 . 60

54 O Ministro das Corporações e Previdência Social inaugurou duas novas unidades médico-sociais da Previdência.

55 e 56 * *Dia 29:* O Chefe do Estado e o Presidente do Conselho receberam o Ministro do Ar espanhol, que a convite do seu colega português visitou o nosso País.

57 * *Dia 30:* O Chefe do Estado deslocou-se a Aveiro, para visitar a sede de «Os Galitos», onde lhe foi oferecida a medalha de ouro do clube, e inaugurar o Conservatório Regional.

58 O Presidente do Conselho recebeu os diplomas e medalhas correspondentes aos títulos de sócio de honra e de benemérito que uma delegação dos Bombeiros Voluntários de Lisboa lhe foi entregar.

59 O Ministro do Ultramar recebeu as professoras do Ensino Primário de Angola, que estiveram de visita à Metrópole.

60 * *Dia 31:* O Chefe do Estado inaugurou em Braga o Conservatório Regional e beneficiações em duas obras de assistência à infância desvalida.

GENERALIDADES. BIBLIOGRAFIA

* PARA A HISTÓRIA DO COMÉRCIO DO LIVRO EM PORTUGAL — Leilões em Coimbra no século XIX, por *Jorge Peixoto*, Coimbra, 1970. Separata do «Arquivo Coimbrão», vol. XXV.

* DICIONÁRIO DE PORTUGUÊS-NHANECA, pelo P.ᵉ *António Joaquim da Silva*.
630 p., Instituto de Investigação Científica de Angola, Lisboa, 1966.

FILOSOFIA. PSICOLOGIA

* DA FILOSOFIA, por *Delfim Santos*.
107 p., Livros Horizonte.

* OUTROS (OS) LEGÍTIMOS SUPERIORES, folhetim de ficção filosófica de *Maria Isabel Barreno*.
195 p., ed. da autora, Publicações Europa-América.

CIÊNCIAS SOCIAIS

* APRENDER SORRINDO, por *Alice Gomes*, capa e ilust. de *Eduardo Perestrelo*.
93 p., Livraria Didáctica Editora, 1970.

* CAPITALISMO E EMIGRAÇÃO EM PORTUGAL, por *Carlos Almeida e António Barreto*.
300+20 inum. p., Cadernos de Hoje, Prelo Editora, S. A. R. L. Lisboa, 1970.

* CÓDIGO DE PROCESSO CIVIL, anotado por *Abílio Neto*.
790+2 inum. p., Atlântida Editora, Coimbra, 1970.

* CONTRIBUIÇÃO INDUSTRIAL (Anotada) Código dos Impostos sobre o rendimento, por *João Cóias, S. Costa Santos* e *José Granja*.
681+4 inum. p., Lourenço Marques, 1969.

* COOPERAÇÃO AGRÍCOLA, por *Henrique de Barros*.
142 p., Livros Horizonte.

* CORPOS ADMINISTRATIVOS DO ULTRAMAR, Leis por que se regem, por *A. Barbas Homem*.
181 p., Lourenço Marques, 1970.

* CRIANÇA (A) E A VIDA, por *Maria Rosa Colaço*.
Edições Itau.

* DAS OBRIGAÇÕES EM GERAL, por *João de Matos Antunes Varela*.
809+4 inum. p., Livraria Almedina, Coimbra, 1970.

* DESVALORIZAÇÃO (A) DA MOEDA, por *A. H. Leal dos Santos*, prefácio de *Sérgio Ribeiro*.
149+3 inum. p., Prelo Editora, S. A. R. L., Lisboa, 1970.

* DIAMANTES DE ANGOLA — UM GRAVE PROBLEMA NACIONAL, por *João Vieira Santa Ana Júnior*.
64 p., I vol.

* ESTRATÉGIA ESTRUTURAL PORTUGUESA, por *S. Silvério Marques*.
365+3 inum. p., Lisboa, 1970.

* ETNOGRAFIA DE IDANHA-A-VELHA (Egitânia), por *Seomara da Veiga Ferreira* e *Maria da Graça Amaral da Costa*.
192 p., Junta Distrital de Castelo Branco, 1970.

* FOLCLORE SERGIPANO (Sistemática sintética e antologia), por *Paulo de Carvalho-Neto*.
128 p., Junta Distrital do Porto, Museu de Etnografia e História.

* IMPOSTO (O) DE TRANSACÇÕES, TIPO A ADOPTAR, por *Manuel Carlos Lopes Porto*.
351 p., Separata do «Boletim de Ciências Económicas», vols. XII, XIII e XIV, Coimbra, 1970.

* INTRODUÇÃO À HISTÓRIA ECONÓMICA, por *Vitorino Magalhães Godinho*.
187 p., Livros Horizonte.

* MANUAL DE CIÊNCIA POLÍTICA E DIREITO CONSTITU-CIONAL, por *Marcelo Caetano*, revista e ampliada por *Miguel Galvão Teles*.
405+3 inum. p., 6.ª ed., tomo I, Coimbra Editora, Lda., Coimbra, 1970.

* MOEDA (A) E A POLÍTICA MONETÁRIA NOS DOMÍNIOS INTERNO E INTERNACIONAL, esquema de um curso de economia monetária, por *Paulo de Pitta e Cunha*.
199 p., Lisboa, 1970.

* NATUREZA (A) JURÍDICA DA ASSOCIAÇÃO À COMUNIDADE ECONÓMICA EUROPEIA, por *Alberto P. Xavier*.
47+1 inum. p., Livraria Almedina, Coimbra, 1970.

* NOTAÇÃO PROFISSIONAL (Avaliação do Mérito Individual).
196+4 inum., p., Livros Horizonte.

* POPULAÇÃO DE PORTUGAL EM 1978. O CENSO DE PINA MANIQUE, com introdução de *Joaquim Veríssimo Serrão*.
Fundação Calouste Gulbenkian, Centro Cultural Português, Paris, 1970.

* PORTUGAL NA BALANÇA DA EUROPA, por *Almeida Garrett*.
221 p., Livros Horizonte, Lisboa.

* PROBLEMA (O) POLÍTICO DA UNIVERSIDADE, por *Adérito Sedas Nunes*.
311 p., Estudos Portugueses, Publicações D. Quixote, 1970.

* PROBLEMAS SÓCIO-CULTURAIS DE ONTEM E DE HOJE, por *Arminda Sanches*.
269 p., 1970.

* QUE (O) É A INFLAÇÃO [Porque sobem os preços], por *Armando Castro*.
204+4 inum. p., Edições 70, Lisboa, 1970.

* RELAÇÕES DIPLOMÁTICAS DE PORTUGAL COM A SANTA SÉ — A Queda de Roma (1870), por *Eduardo Brasão*.
305 p., Academia Internacional da Cultura Portuguesa, Lisboa.

* RESPONSABILIDADE CIVIL DOS ADMINISTRADORES E DOS GERENTES DE SOCIEDADES POR QUOTAS, por *Raúl Ventura* e *Luís Brito Correia*.
470 p., Lisboa, 1970.

* SAÚDE E LONGEVIDADE, por *António José Athaide*.
306 p., Lisboa, 1970.

* SECTOR (O) COOPERATIVO PORTUGUÊS, ensaio de uma análise de conjunto, por *José Manuel Ribeiro Sérvulo Correia*.
124 p., Lisboa, 1970.

* 2.º ANO DE ACÇÃO DO GOVERNO DE MARCELLO CAETANO.
200+4 inum. p., publicação da Direcção-Geral da Informação.

* SOCIALISMO E O FUTURO DA PENÍNSULA, por *Vitorino Magalhães Godinho*.
171 p., Livros Horizonte, Lisboa.

* TÉCNICA PROCESSUAL DA ACÇÃO COMUM NA 1.ª INSTÂNCIA, por *Montelobo*.
414 p., ed. do autor, 1970.

* UM CASO DE CONSERVAS... OU TALVEZ NÃO..., por *Alexandre Babo*.
48 p., Lisboa, 1970.

CIÊNCIA

* CONTRIBUIÇÃO PARA O CONHECIMENTO DA FAUNA INTERSTICIAL EM PORTUGAL, por *Maria Helena Serôdio Galhano*.
206 p., Porto, 1970.

* HISTÓRIAS DE BICHOS DE ÁFRICA, por *Tomaz Ribas*.
72+4 inum. p., ed. do autor, Porto.

* MICROPEDOLOGIA DE ALGUNS DOS MAIS REPRESENTATIVOS SOLOS DE ANGOLA, por *João Luís Afonso Condado*.
«Memórias da Junta de Investigações do Ultramar», n.º 59, Lisboa, 1969.

* ORNITORRINCOS, por *Joaquim Falcão Ferrer*.
94 p., ed. do autor, Lisboa, 1970.

* ULTRASTRUTURA E CITOQUÍMICA DA CÉLULA DE MÜLLER, por *Manuel Miranda Magalhães*.
197+3 inum. p., Porto, 1970.

TECNOLOGIA. MEDICINA. CIÊNCIAS APLICADAS

* BASES FITOSSANITÁRIAS PARA A SOLUÇÃO DO PROBLEMA DOS ÁCAROS DO FIGO SECO NO ALGARVE, por *J. M. Guimarães*.
174 p., Laboratório da Defesa Fitossanitária dos produtos armazenados, Lisboa, 1970.

* CONTABILIDADE APLICADA E GESTÃO ADMINISTRATIVA, por *Jorge Gonçalves Amaro*.
Editorial Inova, Porto.

* COZINHEIRA (A) DAS COZINHEIRAS, por *Rosa Maria*.
203 p., 20.ª ed., Livraria Civilização Editora, Porto.

* EVOLUÇÃO (A) AGRÁRIA NO PORTUGAL MEDITERRÂNEO, por *Orlando Ribeiro*.
226 p., Lisboa, 1970.

* INTERPRETAÇÃO HEMODINÂMICA DO FONOCARDIOGRAMA, por *Eduardo Macieira Coelho*.
161+3 inum. p., Lisboa, 1969.

* LICENCIAMENTO DE OBRAS — Legislação coordenada e anotada, por *António Pedrosa Pires de Lima* e *João dos Santos Almeida Correia*.
944 p., Livraria Petrony, Lisboa, 1970.

* LIVRO (O) DE MARINHARIA DE MANUEL ÁLVARES, por *Luís Mendonça de Albuquerque*.
Junta de Investigações do Ultramar, Lisboa, 1969.

* MANUAL DE BETÃO ARMADO, por *J. D'Arga e Lima, A. Teixeira Coelho* e *Victor Monteiro*.
459+3 inum. p., Laboratório Nacional de Engenharia Civil, Lisboa, 1970.

* MANUAL DE NAVEGAÇÃO (Cálculos Náuticos) pelos capitães-de-fragata *E. da Silva Gameiro* e *J. Pinheiro Azevedo*.
2.ª ed., Ministério da Marinha, Instituto Hidrográfico, Lisboa, 1970.

* MANUAL DO INDUSTRIAL EXPORTADOR.
285+3 inum. p., Corporação da Indústria, 1970.

* SUPERCONDUTORES DE SEGUNDA ESPÉCIE, por *João António de Bessa Meneses e Sousa*.
252 p., Porto. 1969.

BELAS-ARTES. DESPORTOS

* CABEÇA DE ABÓBORA, farsa burlesca e popular por *Natália Nunes*.
57+3 inum. p., Lisboa, 1970.

* HISTÓRIA DA DANÇA EM PORTUGAL, por *José Sasportes*.
450 p., Fundação Calouste Gulbenkian, 1970.

* NOÇÕES DE HISTÓRIA DA ARTE.
227+7 inum. p., II parte, Escola de Artes Decorativas Soares dos Reis.

FILOLOGIA. LITERATURA

* AFINAL NÃO FOI DIFÍCIL, por *Maria Isabel de Mendonça Soares*.
119+7 inum. p., Editorial Verbo.

* ALMAS DANADAS. por *Joaquim Lagoeiro*.
272+4 inum. p., ed. do autor, Editorial Minerva, 1970.

* AMBAS AS MÃOS SOBRE O CORPO, narrativas por *Maria Teresa Horta*.
124 p., Publicações Europa-América, 1970.

* AMOR E MORTE (contos). por *Maria Ondina*.
211 p., Sociedade de Expansão Cultural.

* ANJO (O) ANCORADO, por *José Cardoso Pires*, terceira edição revista e seguida de um estudo sobre o autor por *Alexandre Pinheiro Torres*.
218 p., ed. Moraes Editores, 1970.

* ANTES DO BAILE VERDE, por *Lygia Fagundes Telles*.
229 p., ed. «Livros do Brasil», Lisboa.

* ASAS CERCADAS, por *Luiza Martinez*.
278 p., Sociedade de Expansão Cultural.

* BIOGRAFIA, obras completas de *José Régio*, poesia.
173+7 inum. p., Portugália Editora.

* BOLOR, romance por *Augusto Abelaira*.
195 p., 2.ª ed., ed. do autor, Livraria Bertrand, 1970.

* BREVES SÃO OS DIAS (subsolo), por *Carlos Camposa*.
42 p., ed. do autor, Astrolábio, Porto, 1969

* CANTIGAS D'ESCARNINHO E DE MAL DIZER, dos cancioneiros medievais galego-portugueses, pelo prof. *M. Rodrigues Lapa*.
652+111 p., 2.ª ed. revista e acrescentada, Editorial Galáxia, 1970.

* CARTAS DE PARIS, por *Eça de Queirós*, de acordo com os textos da *Gazeta de Notícias*
342 p., ed. «Livros do Brasil», Lisboa.

* CIDADE (A) E AS SERRAS, por *Eça de Queirós*.
252 p., ed. «Livros do Brasil».

* CINCO (OS) SENTIDOS DE LISBOA, por *Dório Guimarães*.
73 p., ed. do autor, Galeria Panorama, 1970.

* CIRCUNSTÂNCIAIS, poesias de *Carlos Camposa*.
21 p., Astrolábio, Porto.

* COISAS ESPANTOSAS, romance por *Camilo Castelo Branco*.
9.ª ed., Parceria A. M. Pereira, Lda., Lisboa, 1969.

* CONFERÊNCIAS E OUTROS ESCRITOS, por *Bento de Jesus Caraça*.
379+3 inum p., Lisboa, 1970.

* CONFISSÕES (AS) QUE ME FIZERAM, por *Marques Gastão*.
194 p. (III vol. do «Carnet» do repórter), Lisboa.

* CONHECIMENTO DE POESIA, por *Vitorino Nemésio*.
270 p., Editorial Verbo.

* CONQUISTA (A) DO MUNDO, por *Jorge Babo*.
161+3 inum. p., Figueira da Foz, 1970.

* CONTOS E LENDAS, por *Rebelo da Silva*.
296 p., Livraria Civilização Editora., Porto.

* CRIME (O) DO PADRE AMARO, por *Eça de Queirós*.
502 p., ed. «Livros do Brasil», Lisboa.

* DANIEL NA COVA DOS LEÕES, por *Pedro Tamen*.
79+1 inum. p.. Círculo de Poesia, Moraes Editores, Lisboa, 1970.

* EROTISMO, HONRA E GLÓRIA, por *António Dias dos Santos*.
77 p., 1970.

* FENOMENOLOGIA DA CULTURA PORTUGUESA, por *Pinharanda Gomes*.
167 p., Agência-Geral do Ultramar, Lisboa, 1970.

* FORMAS DE PENSAMENTO EM PORTUGAL NO SÉCULO XV,
por *Maria Adelaide Godinho Arala Chaves*.
326 p., Livros Horizonte.

* FRESTA (A) E A TREVA, por *Nelson Reimão*, poesia.
37 p., ed. do autor, 1970.

* GOIVOS, LÍRIOS E AIS, poemas, por *Ernesto Augusto da Silva Pereira*.
82+1 inum. p., Lisboa, 1970.

* HERÓI (O), por *José da Câmara Leme*.
145 p., Livraria Bertrand, Amadora.

* HISTÓRIA DE BARSABUM — cavalinho de circo, por *Leonel Fabião*,
ilust. por *Dourado*.
51 p., 2.ª ed., Lisboa, 1970.

* HORIZONTE DOS DIAS, poemas por *Vítor Matos e Sá*.
96 p., 2.ª ed., Edições TEUC, Coimbra, 1970.

* HÓSPEDE (O) DE JOB, por *José Cardoso Pires*, prémio Camilo
Castelo Branco.
251 p., Moraes Editores, 1964.

* ILHA DA MADEIRA E SUAS VIRTUALIDADES ESPIRITUAIS,
por *Sant'Anna Dionísio*.
30 p., Lisboa, 1960.

* JOGOS DE AZAR, contos por *José Cardoso Pires*.
246 p., 3.ª ed., Moraes Editores, 1970.

* JUDEU (O), romance histórico, por *Camilo Castelo Branco*.
238 p., 6.ª ed., Parceria A. M. Pereira, Lisboa, 1970.

* LEVITAÇÃO, poemas por *Luís Moreno*.
108 p., ed. do autor, 1970.

* LIVRO (O) DAS SOMBRAS, por *Mário Braga*, prémio «Ricardo
Malheiros» — 1960.
196 p., 2.ª ed. revista e aumentada, Lisboa, 1970.

* MANDARIM (O), por *Eça de Queirós*, de acordo com a primeira
edição em livro, e seguido na primeira versão saída a público, em 1880
no *Diário de Portugal*.
270 p., ed. «Livros do Brasil», Lisboa.

* MARIA MOISÉS E OUTRAS NOVELAS, por *Camilo Castelo Branco*.
187 p., ed. R. T. P., Editorial Verbo, 1970.

* MEDITAÇÃO EM SAMOS, por *João Rui de Sousa*.
61 p., Galeria Panorama.

* MEMÓRIAS DUMA NOTA DE BANCO, por *Joaquim Paço D'Arcos*.
285 p., 3.ª ed., Guimarães Editores, Lisboa.

* MÚSICA LIGEIRA, obras completas de *José Régio*, volume póstumo,
poesia.
1.ª ed., Portugália Editora, 1970.

* NO MUNDO DOS LILAZES, breves notas de viagem à Checoslováquia,
à União Soviética e à Polónia passando pelas Alemanhas, por *Francisco
Dias da Costa*.
137+1 inum. p., 2.ª ed., 1970.

* NOITE ESPIRITUAL, por *Carlos Lobo de Oliveira*.
4+7 inum. p., Editora Pax, Braga, 1970.

* NOTAS CONTEMPORÂNEAS, obras de *Eça de Queirós*.
411+5 inum. p., ed. «Livros do Brasil», Lisboa.

* NUVEM (A), estória de amor, por *Natália Nunes*.
127 p., Sociedade de Expansão Cultural, Lisboa, 1970.

* OBJECTO (O) DA INVENÇÃO, por *Américo da Silva Carvalho*.
120 p., Coimbra Editora Limitada, 1970.

* OBRAS COMPLETAS — Santo António de Lisboa, 2 volumes, intro-
dução, tradução e notas por *Henrique Pinto Rema,* O. F. M., Sermões
Dominicais.
Editorial Restauração, Lisboa, 1970.

* OBRAS COMPLETAS DE TEIXEIRA DE PASCOAES, poesia, introdução e aparato crítico por *Jacinto do Prado Coelho*.
297 p., VI e último volume, Livraria Bertrand, Amadora.

* PALCO DAS COMÉDIAS — contos — por *Jaime Napoleão de Vasconcelos*.
129+4 inum. p., Porto, 1970.

* POEMA (UM) DE SANGUE. por *Carlos Camposa*.
24 p., 2.ª ed., ed. do autor, Astrolábio, 1970.

* POEMAS, de *Alberto Caeiro*.
Obras completas de Fernando Pessoa, III, 4.ª ed., Edições Ática.

* POEMAVRA, por *José Valle de Figueiredo*.
144 p., ed. do autor, Editorial Verbo, 1970.

* PRESENÇA INCÓMODA, por *Carlos Camposa,* ilustrações de *Pichel*.
177 p., Editoral Pax, Braga, 1970.

* PROVÀVELMENTE ALEGRIA, por *José Saramago*.
96+4 inum. p., Livros Horizonte, Lisboa.

* RAINHA SANTA-BELEZA PERMANENTE DE FIGURA MEDIE-
VAL, por *Urbano Duarte*.
Separata do «Arquivo Coimbrão», vol. XXV, Coimbra, 1970.

* RECORDAÇÕES, por *João Ninguém*.
171 p., ed. do autor, 1970.

* RENDER (O) DOS HERÓIS, três partes e um epílogo concluído em
apoteose grotesca, por *José Cardoso Pires*.
253 p., ed. Moraes Editores, 1970.

* RESSENTIMENTO DUM OCIDENTAL, por *Henrique Segurado*.
Galeria Panorama, Lisboa, 1970.

* RODA (A) DO TEMPO, por *José de Almeida Pavão*.
209+3 inum. p., Ponta Delgada, 1970.

* SALMOS & ORAÇÕES, por *Arthur Lambert da Fonseca,* prefácio de
Jean Cassou.
70 p., 3.ª ed., Brigue.

* SEMENTES NA ROCHA NUA, por *Manuel Leal Freire*.
196 p., Editora Pax, Braga, 1970.

* SERÕES DA PROVÍNCIA, por *Júlio Dinis*.
262 p., 1.º vol., Livraria Civilização Editora, Porto.

* SOU UMA RAPARIGA DO LICEU, por *Odette de Saint-Maurice*.
308 p., Colecção Gôndola Juvenil, 1970.

* TREVAS (AS) E O ROUXINOL, por *Salvador Alexandre*.
117+3 inum. p., Lisboa.

* UM DIA DE FÉRIAS, por *Romeu Pimenta*.
117 p., ed. do autor, Livraria Figueirinhas, Porto.

* UM INFINITO SILÊNCIO, por *António Rebordão Navarro*.
193 p., Publicações Europa-América.

* VIDA ERRANTE (livro póstumo), por *Fialho de Almeida*.
338+6 inum. p., Livraria Clássica Editora, Lisboa.

GEOGRAFIA. BIBLIOGRAFIA. HISTÓRIA

* ABEL SALAZAR — Histologista, por *A. Celestino da Costa*.
31 p., Sociedade Divulgadora da Casa-Museu de Abel Salazar, Porto, 1970.

* AFONSO III, por *Ernesto Leal*.
116 p., ed. do autor, Publicações Europa-América, 1970.

* ALEXANDRE HERCULANO, por *Oliveira Martins,* introdução e notas de *Joel Serrão*.
146 p., Livros Horizonte.

* ALFREDO DE MAGALHÃES — O HOMEM E A OBRA, por *Jaime Ferreira,* prólogo do *Dr. Paulo Pombo*.
98 p., ed. de *Gazeta Literária,* 1970.

* ANCORADOUROS DAS ILHAS DOS AÇORES, pelo *Contra-almirante M. M. Sarmento Rodrigues*.
255 p., 3.ª ed. (reimpressão), Publicação do Instituto Hidrográfico, Lisboa, 1970.

* BIBLIOTECAS E ARQUIVOS, a questão dos papéis de Braga, por *António Gomes da Rocha Madail*.
83+1 p., Separata do «Arquivo Coimbrão», vol. XXV, Coimbra, 1970.

* CASCAIS MENINO, por *Pedro Falcão,* referência do jornal *A Nossa Terra* ao VI centenário do concelho de Cascais, com a participação da Junta de Turismo da Costa do Sol.
120+4 inum. p., Cascais, 1970.

* DOIS (OS) DESCOBRIMENTOS DA ILHA DE S. LOURENÇO MANDADOS FAZER PELO VICE-REI D. JERÓNIMO DE AZEVEDO NOS ANOS DE 1613 A 1616, por *Humberto Leitão*.
431 p., Centro de Estudos Históricos Ultramarinos, Lisboa, 1970.

* D. JOÃO IV E A CAMPANHA DA RESTAURAÇÃO, evocação histórica por *Mário Domingues*.
503 p., Edições Romano-Torres.

* DOS PIZARROS DE ESPANHA AOS DE PORTUGAL E BRASIL, História e genealogia, por *J. T. Montalvão Machado*.
535 p., Lisboa, 1970.

* ÉVORA NO PASSADO, por *Manuel de Carvalho Moniz*.
155 p., vol. I, Évora, 1969.

* GLORIOSA (A) HISTÓRIA DOS MAIS BELOS CASTELOS DE PORTUGAL, texto do *Prof. Dr. Damião Peres,* ilust. do pintor *Gouvêa Portuense,*
515 p., Portucalense Editora.

* HISTÓRIA DA LITERATURA PORTUGUESA (Resumo), por *Alfredo de Aguiar*.
197+3 p., 7.ª ed.

* INVENTÁRIO POST MORTEM DEL-REI D. PEDRO II, ed. e int. de *Virgínia Rau* e *Eduardo Borges Nunes*.
167 p., Lisboa, 1969.

* LEIBNIZ — O Homem. A Teoria da Ciência, por *António Borges Coelho*.
175 p., Livros Horizonte.

* LUÍS DE ALMEIDA, S. J. — MÉDICO, COMERCIANTE E MISSIONÁRIO, por *P.ᵉ Manuel Teixeira*.
66+2 p., Tipografia da Missão do Padroado, Macau, 1970.

* MARQUÊS (O) DE POMBAL — O HOMEM E A SUA ÉPOCA, Evocação Histórica.
397+3 p., 3.ª ed., Edições Romano Torres, Lisboa.

* MEMÓRIAS DE UMA TIPOGRAFIA, por *Belizário Pimenta*.
Separata do «Arquivo Coimbrão», vol. XXV, 1970.

* NO MUNDO DOS CABINDAS — Estudo etnográfico, por *José Martins Vaz*.
354+4 e 217+3 inum. p., I e II vols., Editorial L. I. A. M., Lisboa, 1970.

* NOTAS SOBRE FRANCISCO GOMES DE AMORIM, por *Jorge Peixoto*.
74+2 inum. p., Póvoa de Varzim, 1970.

* 11 MESES DE GUERRA EM ANGOLA, por *Jorge Cobanco*.
147 p., ed. do autor, 1970.

* PIANISTA (O) E COMPOSITOR «VÍTOR COELHO DE MACEDO PINTO» (PARA UMA BIOGRAFIA), por *Álvaro Carneiro*.
115 p., Porto, 1968.

* PORTUGAL E A IRLANDA — Laços de uma civilização atlântica na bruma dos séculos, por *A. Pereira da Conceição*.
69 p., Sociedade de Língua Portuguesa, Lisboa, 1970.

* PORTUGAL NA EUROPA DO SEU TEMPO — história socio-económica medieval comparada, por *Armando Castro*.
413+3 inum. p., Seara Nova, 1970.

* RELÍQUIA (A), por *Eça de Queirós*.
279 p., 6.ª ed. de acordo com a primeira edição (1887), edição «Livros do Brasil», Lisboa.

* REVOLUÇÃO (A) DE 1640 E AS SUAS ORIGENS, evocação histórica por *Mário Domingues*.
493 p., ed. Romano Torres.

* SANCHES (OS) DE VILA VIÇOSA, por *José Dias Sanches*.
168 p., Lisboa, 1970.

* SOAJO — UMA ALDEIA DIFERENTE «CABEÇO DE MONTARIA», por *A. Lopes de Olivera*.
Ed. da Junta Distrital de Viana do Castelo, 1970.

* VIDA PERIGOSA, novelas por *Urbano Tavares Rodrigues,* 2ª ed. revista com prefácio de *David Mourão-Ferreira*.
242 p., Livraria Bertrand.